YVES VIOLLIER

Né en 1946 en Vendée, fils d'un menuisier, Yves Viollier a publié en 1984 son premier roman, *La chasse aux loups*, suivi en 1985 du *Grand cortège*. Après la publication de *Jeanne la Polonaise* (1988), il rejoint l'école de Brive, et écrit, entre autres, *Les pêches de vigne* (1994), *Les saisons de Vendée* (1996), *L'étoile du bouvier* (1998), *Notre-Dame des Caraïbes* (2000) et *La flèche rouge* (2005). Professeur de lettres, critique littéraire pour *La Vie*, Yves Viollier vit en compagnie de sa femme et de ses deux filles à La Roche-sur-Yon.

LES SŒURS ROBIN

YVES VIOLLIER

LES SŒURS ROBIN

ROBERT LAFFONT

© Éditions Robert Laffont, S.A., Paris, 2002
ISBN : 978-2-266-13477-4

« Qui sait ? Maintenant que le sort était conjuré, peut-être était-ce un autre cycle qui allait commencer ? »

Georges SIMENON,
L'Horloger d'Everton.

Mardi 8 octobre

Marie Robin remonte la rue Molière, tête basse, le foulard noir sur le front. Elle lutte contre le vent qui prend la côte en enfilade et hurle aux portes et aux fenêtres. Un volet d'étage claque contre le mur. Marie file, sa miche de pain enveloppée sous son gilet noir et les paroles de la boulangère lui résonnent encore aux oreilles :

— Rasez les murs, mademoiselle Marie. Si le vent se mettait après vous, il vous emporterait !

— Non mais, de quoi je m'occupe ? Elle ne risque pas de s'envoler, elle est grasse comme une chatte de fournil !

Un nouveau coup de vent la suffoque, enroule sa longue robe autour de ses bas. Elle s'abrite, haletante, dans le renfoncement d'une porte.

— Elle a raison la marchande de pain. Je suis si épaisse qu'un tourbillon m'emporterait comme une feuille !

Elle réajuste son foulard, ramène le haut en visière sur son front. Il doit être midi. Les autos des employés de bureau bouchonnent. Un rayon de

9

soleil entre deux nuées éclaire la chaussée. Elle tourne la tête à gauche et à droite, traverse la rue à pas pressés. Le soleil l'aveugle. Sa vue a toujours été sensible à cause de la couleur bleue de ses yeux. Elle serre ses paupières aux cils désormais trop rares et trop courts. Trois hommes costumés de sombre marchent d'un pas tranquille sur le trottoir d'en face. Ils parlent et leurs sacs de cuir accompagnent le balancement de leurs longues enjambées. L'écho de leurs voix parvient jusqu'à Marie qui accélère le pas après un rapide coup d'œil.

Elle se retourne. Le vent plaque sa robe noire contre ses jambes. Elle accélère au coin de la rue Chanzy, court presque. Elle se précipite sur la poignée de sa porte, la secoue, s'acharne, parce que l'affolement l'empêche de tourner le bec-de-cane. Le battant cède enfin.

— Mon Dieu !

Elle le repousse derrière elle. Sa sœur l'attend déjà sur le palier de l'escalier, alertée par son vacarme :

— Aminthe ! Aminthe ! gémit-elle.

— Qu'est-ce qu'il y a encore ?

— Les voilà !

— Qui ?

Sous le coup de l'émotion, Marie lâche le pain qu'elle portait sous son bras. La peur crispe sa maigre figure ridée comme une noix. Elle ferme les yeux. D'en haut, dans la lumière de l'imposte à croisillons, Aminthe toise sa sœur.

— Dis-moi ce qui se passe ! soupire-t-elle en haussant les épaules.

Elle descend lourdement, deux fois plus large que sa sœur, cramponnée à la rampe, sa mauvaise jambe gauche pesant sur chaque marche.

— Arrête ta comédie ! gronde-t-elle quand elle arrive en bas. Tu as vu ce que tu as fait ?

Des croûtes de pain sont répandues sur les tommettes noires et blanches du dallage. Marie tousse. Aminthe va chercher le balai sous l'escalier. Elle ramasse le pain, le rend à sa sœur, rassemble les croûtes.

— Alors, qui était-ce ?

— Le grand brun et le petit blond. Ils étaient avec le maire.

— Le maire ? Tu ne le connais pas.

— Je l'ai vu sur le journal.

— Et alors, ces gens ont le droit de se promener !

Marie tend l'oreille. Son souffle râle dans sa poitrine. Des autos passent et le vent pousse contre la porte.

— J'ai cru qu'ils venaient chez nous..., s'excuse-t-elle.

Elle ose quelques pas dans le corridor.

— Tu as cru..., grommelle Aminthe penchée sur sa pelle à poussière, son arrière-train volumineux relevé.

Marie qui a chaud enlève son foulard, s'essuie le front. À ce moment-là, on frappe à la porte.

— Mon Dieu !

11

— Tais-toi !

Aminthe range le balai et la pelle sous l'escalier aussi vite que sa mauvaise jambe le lui permet. Elle se tourne vers sa sœur :

— Remets ton foulard !

Elle clopine jusqu'à elle, tire énergiquement le bord du carré noir sur le front de Marie qui pousse un cri de poule d'eau.

— Ouvre, maintenant.

Marie manœuvre le verrou, tourne le bouton de porcelaine de la poignée. Ce sont bien les trois hommes que Marie a fuis dans la rue. Le plus imposant s'avance, se découvre de sa toque d'astrakan, sa figure rouge éclairée par un large sourire.

— Bonjour, mesdames, excusez-moi, peut-être alliez-vous passer à table à cette heure-ci ? Je suis Stéphane Guillemé, votre maire. Je viens pour tenter de régler avec vous les questions qui fâchent en compagnie de ces messieurs.

Les deux femmes barrent l'entrée de leur maison avec leur corps. Aminthe esquisse un froncement de sourcils à l'évocation des sujets qui fâchent. Le grand basané à la figure en lame de couteau et le petit blond au regard ardent se tiennent discrètement en retrait derrière le maire. Une bourrasque de vent secoue les robes des deux sœurs. L'abat-jour du corridor se balance. Aminthe boitille en arrière et lâche, comme à regret, de sa voix grave :

— Entrez.

Aminthe précède les hommes dans la cuisine. Marie ferme la marche en regardant les traces humides de pas sur le carrelage de terre rouge. Deux couverts attendent déjà sur la toile cirée de la table ronde. Des bouffées de fumée s'échappent de la cocotte qui bavarde sur l'imposante cuisinière bleue émaillée.

— Hm ! s'exclame Stéphane Guillemé, qu'est-ce que vous cuisinez ?

— Du lapin aux pruneaux, répond Marie en tirant des chaises pour qu'ils s'assoient.

— N'enlevez pas vos assiettes. Ne vous dérangez pas pour nous !

Aminthe pose les couverts sur la crédence du fruitier. Un grondement lointain monte des entrailles de la maison, suivi d'un coup sourd.

— Vous entendez ? C'est le portail automatique que vous avez fixé contre le mur de la maison, à l'entrée du parking. C'est comme ça à chaque fois que quelqu'un entre ou sort.

— C'est vrai que c'est une nuisance, reconnaît le grand brun dont la mèche tombe sur le front.

— Elle est provisoire, s'excuse le petit blond aux lunettes à monture d'écaille.

Le grondement sourd s'élève à nouveau. Le maire balaie du regard les pots de faïence alignés sur le linteau de la cheminée et attaque, sans autre commentaire, bras croisés, les deux mains refermées sur ses avant-bras :

— Vous connaissez donc MM. Chadeau et Nicolas, responsables de la SCI qui porte leur nom...

Il articule lentement en habitué des exposés

pédagogiques. Ses lèvres épaisses s'épanouissent. Ses yeux vont d'une sœur à l'autre, derrière les verres carrés de ses lunettes.

— Je ne suis pas sûr que ces jeunes hommes se soient montrés très adroits avec vous. J'ai voulu qu'ils m'accompagnent pour que, d'une certaine manière, ils s'excusent.

Les deux hommes baissent la tête. Les paupières du jeune blond battent à coups redoublés et, la voix voilée :

— Nous vous avons sans doute bousculées, pardonnez-nous...

Les sœurs assises en face d'eux forment un bloc de silence. Aminthe appuie sa lourde poitrine contre ses bras croisés. Marie agite bruyamment ses doigts. Sa sœur lui donne un coup de coude.

— MM. Chadeau et Nicolas vous ont donc exprimé leur désir d'acheter votre maison, continue Stéphane Guillemé. Et nous les encourageons dans cette entreprise.

— Oui, tranche Aminthe, ce n'est pas la peine, nous ne voulons pas vendre.

Son intervention irrite manifestement le maire peu habitué à des interruptions si abruptes.

— Attendez, dit-il le regard traversé par un éclair, vous ne voulez pas vendre. Mais avez-vous pensé à l'avenir ? Si vous tombez malades, comment vous soignerez-vous ?

Les doigts de Marie accélèrent leur mouvement sur sa peau rêche. Aminthe la pousse à nouveau du coude. Marie laisse passer l'un de ses habituels

14

petits cris. Le maire observe les deux vieilles femmes. Un commencement de sourire étoile les pattes d'oie au coin de ses paupières. Il étale les mains devant lui sur la toile puis, avec une amabilité pateline :

— Est-ce que je peux me permettre de vous demander votre âge ?

— Soixante-dix-neuf et quatre-vingt-un, répond Marie en désignant d'abord sa sœur.

— Bien sûr, vous êtes en parfaite santé. Mais vous devez raisonnablement penser que cela ne durera pas éternellement. La plus vaillante usera alors ses forces à soigner la plus faible. Ces messieurs vous ont fait en leur nom et au nôtre une proposition d'achat. J'ai trouvé, moi aussi, qu'ils manquaient de générosité. J'ai recommandé encore un petit effort.

— Ce n'est pas un effort que réclame M. le maire, intervient le grand maigre à la barbe noire, c'est un sursaut de générosité. Il veut que nous passions de 700 000 francs à un million...

— Cent millions de centimes ! précise le maire qui vérifie l'impact de ce chiffre sur ses interlocutrices.

Mais Aminthe, qui donne le ton, reste sur son quant-à-soi. Ses fanons blancs au bord de ses joues semblent de marbre.

— J'ai demandé une étude au foyer-logement du Moulin Rouge. Avec cent millions, vous avez de quoi vivre tranquillement là-bas toutes les deux jusqu'à cent ans au moins, logées, nourries, soignées, blanchies.

Il fouille dans son porte-documents au pied de sa chaise pour en sortir les papiers chiffrés. Il se ravise devant les deux femmes statufiées. Même Marie a réussi à prendre la pose. Ses doigts, rentrés dans ses manches, ne frémissent plus.

L'impatience le gagne. Il palpe son nœud de cravate, interroge du regard les deux entrepreneurs qui le laissent se débrouiller. Il bouge sur sa chaise, joint les mains, et parle en regardant ses ongles taillés à l'emporte-pièce.

— Nous comprenons que vous teniez à votre maison, s'oblige-t-il à dire calmement. Vous avez vu tomber les vieilles constructions du quartier, et cela vous a causé un choc. Vous faites de la résistance. Cela ne me déplaît pas. Je vais même vous avouer que vous nous avez rendu service : vous avez obligé ces messieurs à modifier leurs plans. Ils avaient prévu un immeuble semblable aux autres qui harmonisait les architectures de l'îlot Chanzy. Ils ont changé d'avis et ont décidé de conserver la façade de votre maison et votre jardin en les intégrant dans leur projet.

Aminthe consent pour la première fois à bouger, ses prunelles brunes profondes s'animent. Ses fanons tremblent.

— Avez-vous un plan ?

Les fermoirs métalliques de la mallette claquent. Aminthe prie sa sœur à voix basse :

— Si tu allumais la lumière ?

Marie se lève. Le vent secoue la fenêtre de la rue, la pluie crépite contre les vitres. La lumière de la suspension à boule jaillit. Les têtes s'inclinent vers la grande feuille de papier rose déployée sur la toile.

— La rue Chanzy est là, explique le grand Chadeau, l'école Jeanne-d'Arc, votre voisine, à laquelle on ne touche pas, bien sûr, et votre propriété. Ça, c'est le plan de masse.

Il glisse une seconde feuille sur la première.

— Voilà notre nouveau projet.

Aminthe se hausse sur sa chaise. Marie se recule pour être à bonne distance.

— Il faudrait que j'aille chercher mes lunettes, chuchote-t-elle.

Mais elle ne bouge pas. Le blond Nicolas s'aventure de sa voix couverte :

— Alors, qu'est-ce que vous en pensez ?

Elles ne répondent pas. Aminthe soupire avec un hochement de tête. Le maire appuie le doigt sur la reproduction de la façade de la maison, et commente avec enthousiasme :

— C'est pas mal. C'est une manière de faire du neuf en gardant les traces du passé.

— Des traces..., murmure Aminthe avec une moue dégoûtée.

— Des traces..., insiste la timide Marie, reprenant l'expression malheureuse du maire. Vous ne gardez que le mur de façade.

— Nous conservons le cèdre du jardin, et la verrière de la serre, ajoute M. Chadeau.

— Encore heureux ! s'exclame Aminthe, ce cèdre est, paraît-il, l'arbre le plus haut de la ville ! Êtes-vous sûr que vous n'allez pas couper ses racines en creusant les fondations de votre immeuble ?

— Absolument.

— Mesdames, supplie le maire, les mains jointes, il faut bien que la ville change ! Votre maison s'inscrit dans un projet d'urbanisme que tout le monde trouve réussi. Nous ne pouvons pas continuer à vivre dans le passé !

— C'est justement la question, monsieur le maire, réagit Aminthe qui cambre devant lui sa volumineuse poitrine. Nous vivons aujourd'hui, ma sœur et moi. Nous souhaitons que ça dure le plus longtemps possible, mais nous avons l'impression que vous voulez nous rayer du présent.

— Vous croyez cela, sincèrement ?

— Oui, monsieur le maire.

Il soupire, se recule sur sa chaise, allonge l'échine.

— Vous avez tort de le penser. Je suis convaincu que c'est votre intérêt de vendre, et que le projet de ces messieurs est bon. Nous pourrions vous expulser, menace-t-il. Nous ne le ferons pas, ajoute-t-il aussitôt.

Le blond Nicolas juge utile d'intervenir et de faire diversion.

— Vous n'allez pas supporter pendant des années ce portail automatique de parking contre

18

votre mur, qui vous embête et ne fonctionne pas comme il le devrait ?

— Oh ! il peut rester, ça ne nous dérange pas. C'est vous qui l'avez posé en attendant de le fixer définitivement dans le mur qui remplacerait le nôtre !

Le carillon de la pendule sonne la demie au-dessus de la porte du couloir. Marie se lève précipitamment et trotte jusqu'à la cocotte sur la cuisinière où elle brasse avec la cuiller de bois. Le parfum onctueux se répand dans la cuisine.

— C'est brûlé ? interroge Aminthe.

Marie touille encore, verse dans la cocotte quelques gouttes d'eau chaude de la bouilloire.

— Non.

— À quelle heure déjeunez-vous ? demande le grand Chadeau en relevant sa mèche.

Les deux sœurs répondent ensemble :

— À midi et demi.

Il replie les plans qu'il range dans sa mallette. Les trois hommes se lèvent.

— Est-ce que nous pouvons espérer une réponse positive ? hasarde M. Nicolas, la main dans la poche de sa veste grande ouverte.

— On va réfléchir. Laissez-nous parler ensemble. On verra.

Ces paroles redonnent de l'espoir aux visiteurs. Ils serrent énergiquement les mains chiffonnées des sœurs Robin. Le maire réajuste sa toque. Il ne pleut plus. Le vent a chassé les nuages et nettoyé un ciel bleu acide.

19

— Quel vent ! dit le maire, tête baissée. On se croirait déjà à la Toussaint !

Marie repousse la porte et le vent avec son dos. Elle appuie instinctivement la main sur son cœur. Sa poitrine émet des sifflements d'emphysème.

— Je ne tenais plus. Je croyais que j'allais me trouver mal !

Elle ajoute après deux ou trois inspirations difficiles :

— Tu vois un peu ce qu'ils ont manigancé : garder notre façade comme un décor de théâtre !

Aminthe ricane.

— Bon, si nous passions à table ? À cause d'eux nous sommes en retard.

Elle s'empare du pain resté sur la commode du corridor. Marie sort un chiffon, essuie les miettes qu'elle recueille dans sa main.

— Je ne sais pas si je vais pouvoir manger maintenant !

Aminthe apporte les couverts, s'assied en grimaçant tandis qu'elle ramène sous la table sa mauvaise jambe. Elle noue sa serviette autour de son cou pour protéger sa robe fleurie d'hortensias bleus.

— Je te sers, dit Marie qui a apporté la cocotte.

Aminthe tend son assiette.

— Est-ce que tu crois qu'ils pourraient nous expulser ?

— Tu rabâches, Marie. Tu m'as déjà posé la question. Ils n'oseront pas. Ce serait trop mal vu. S'ils l'osaient, ils l'auraient déjà fait.

— Mais cette fois le maire est venu.

— Justement. Tu l'as entendu. Mange.

— Je ne peux pas.

Elle ne s'est servi que quelques pruneaux, un demi-foie de lapin, deux ou trois petits oignons roux. Aminthe en a trois fois plus qu'elle dans son assiette.

Marie se réveille la nuit suivante en sursaut. Le vent siffle à travers les jalousies des contrevents. Elle se dresse dans son lit, tâtonne pour trouver la poire de sa lampe, allume, ouvre le tiroir de sa table de nuit, trouve son pulvérisateur de Ventoline, l'introduit dans sa bouche, presse une fois, deux fois, l'agite. Il est vide.

Elle cherche parmi les autres médicaments de sa table de nuit, y voit mal, met ses lunettes cerclées de fer. Elle se lève dans sa longue chemise de pilou rose, va à sa commode, le corps frissonnant, cherche dans le tiroir. Le chat Pompon, qui dormait sur le couvre-pieds, saute sur le plancher et se frotte à ses jambes nues. Elle tousse, porte la main à sa poitrine. Elle sent venir une crise, s'agite à déplacer les boîtes de sa pharmacie, gémit, titube jusqu'à son lit où elle se laisse tomber. Sa poitrine se soulève avec des bruits de soufflet. Elle se couvre maladroitement, les mains tremblantes.

— Mon Dieu ! Mon Dieu ! soupire-t-elle en farfouillant sous son oreiller pour y prendre son mouchoir.

La toux la ploie. Elle profite d'un instant de répit pour tendre la main au pied de son lit. Elle se saisit du bâton qui y est dissimulé, l'élève vers le plafond, frappe le plancher entre les solives.

— Aminthe ! Aminthe !

Le bâton retombe. Elle n'a pas la force de frapper davantage. Elle étouffe. Son poignet maigre élève de nouveau le bâton. La voix d'Aminthe crie :

— Qu'est-ce qu'il y a ?

Marie manque de voix pour répondre. Elle frappe une fois encore contre le plafond. Le plancher se plaint du poids de sa sœur qui se lève, puis de sa pesante démarche claudicante, Aminthe paraît enfin à la porte, la chevelure emprisonnée dans les nœuds d'un carré de madras, enveloppée dans une robe de chambre de nylon bleu.

— Qu'est-ce que tu as ?

Marie halète sous les couvertures le dos tourné. Aminthe s'approche en boitillant des tiroirs de la table de nuit et de la commode ouverts. Sa sœur murmure la voix rauque :

— Ma poire de Ventoline est vide.

— Aussi, pourquoi attends-tu une crise pour t'en apercevoir !

Elle s'approche de sa sœur couchée en chien de fusil, les yeux fermés.

— Il me reste de l'huile camphrée pour ma jambe. Maman t'en frictionnait la poitrine, et ça te faisait du bien, tu t'en souviens ?

Elle s'éloigne. Pompon la suit. Elle lui gronde après dans le corridor.

— Reste là ! Tu sais que je ne veux pas te voir dans ma chambre !

Quand elle revient, Marie qui n'a pas bougé ouvre grande la bouche comme une carpe sur le pré. Aminthe déboutonne le col de la chemise de nuit de sa sœur. Ses longues mains rouges frottent sans ménagement. L'odeur piquante du camphre remplit la chambre.

— Comment te sens-tu ? Est-ce que ça te soulage ?

Marie hoche la tête, semblant respirer davantage. Une quinte la secoue à nouveau, l'étouffe. Elle cherche son souffle, pliée en deux, perd ses couleurs.

— Bon, décide Aminthe en refermant le flacon d'huile camphrée, je vais appeler le médecin !

— Non, gémit Marie, et elle s'agite, je ne veux pas aller à l'hôpital !

— Tu n'iras pas à l'hôpital. Il te donnera les médicaments dont tu as besoin. C'est plutôt s'il ne vient pas que tu risques l'hôpital !

Elle feuillette l'annuaire. C'est Marie qui décroche habituellement le téléphone lorsque, rarement, il sonne. Il est au rez-de-chaussée et Marie, plus rapide à se déplacer, s'empare la première de l'écouteur. Elle a écrit sur un papier, de sa grosse écriture tremblée, les numéros d'urgence : police, pompiers, médecin, René. Aminthe essaie leur médecin traitant, le docteur Pichon. Par chance, il est de garde.

Elle guette les phares de son auto dans la rue déserte balayée par la pluie, revient vers le lit de sa sœur aux joues enflammées dont la respiration douloureuse déchire les oreilles. Et si le médecin se décidait à l'hospitaliser ? Si Aminthe se retrouvait toute seule dans cette grande maison ? Si les menaces du maire se vérifiaient ?

Elle ouvre la porte au vent et au médecin qui pose sa gabardine sur le dossier d'une chaise dans la cuisine et s'ébroue de l'humidité du dehors.

— Quel temps ! soupire-t-il. Il fait un vent à ne pas mettre un médecin dehors !

Il file dans la chambre de la malade.

— Alors, mademoiselle Marie, c'est vous qui prenez un malin plaisir à me tirer de mon lit à une heure pareille ?

Il incline vers elle sa silhouette massive. Il est voûté, peut-être à cause de l'habitude de se pencher sur les malades. Il palpe le front, le poignet de Marie, sort son stéthoscope de son sac de cuir, et s'installe sur le lit auprès d'elle.

— Cette poitrine est trop encombrée. Ce serait mieux de vous hospitaliser.

— Non ! s'écrie Marie, je ne veux pas aller à l'hôpital !

— Pourquoi ? Vous craignez qu'on ne vous y fasse des misères ?

— Je préfère mourir chez moi plutôt que là-bas !

24

Elle s'est assise dans son lit. Elle transpire, s'agite.

— Qui parle de mourir ? Je vous parle de vous soigner.

Il adresse un clin d'œil à Aminthe.

— Vous n'êtes pas à l'article de la mort puisque vous avez la force de vous défendre. Je vais donc vous soigner chez vous. Mais attention, il ne faudra pas commettre d'imprudence ! Une piqûre devrait tout de suite vous dégager. Vous continuerez demain avec des comprimés que votre sœur ira chercher à la pharmacie.

Il approche la seringue des reins maigres.

— Comme vous le désirez, c'est donc moi qui vais vous faire un peu de misère...

Il se rassied sur le lit pour remplir l'ordonnance. Quand son stylo s'arrête, la voix de Marie s'élève dans son dos.

— N'oubliez pas, docteur, de me mettre de la Ventoline, je n'en ai plus.

Il se retourne en souriant.

— Je parie que vous allez déjà mieux.

— Peut-être.

Le médecin préfère attendre encore un peu, assis sur le lit, pour s'assurer de l'effet de son médicament. Le carillon sonne deux heures. Le chat est pelotonné sur la descente de lit. Le docteur Pichon grimace.

— Ce chat ne devrait pas entrer dans votre chambre ! Vous traquez toutes les poussières dans votre maison, et vous avez raison, mais les poils du chat sont peut-être responsables de votre crise.

Il se soulève, pousse l'animal du pied.

— Allez, va-t'en ! Vous le gardez avec vous pour le plaisir, et vous ne vous apercevez pas que vous vous faites du mal.

— Et vous, docteur, rétorque Marie en toussotant, qu'est-ce que vous faites quand vous tirez sur votre cigarette ?

Aminthe ouvre de grands yeux, surprise de la repartie de sa sœur. Marie porte la main devant sa bouche étonnée elle-même de la vivacité de sa réplique.

— Eh bien, s'exclame le docteur, puisqu'on s'en prend à moi, je m'en vais !

Il se lève, le col de la chemise ouvert, qu'il n'a pas pris le temps de fermer par une cravate. Il tapote la main de Marie.

— Ça devrait aller maintenant.

— J'ai pris froid, hier matin, en allant chercher notre pain, explique Marie prenant sa sœur à témoin.

Le docteur ne comprend rien à l'échange entre les deux sœurs. Aminthe l'accompagne à la porte et revient.

— J'ai fait un cauchemar, raconte Marie qui a maintenant envie de parler sous l'effet du médicament. Il y avait un homme qui ressemblait au maire. Il ordonnait de me mettre la camisole de force. Je me débattais. Plus je me débattais, plus

26

les liens se resserraient. Je me suis réveillée. L'asthme m'étouffait...

Aminthe hausse les épaules. Elle regarde dans le jardin par les jalousies. La nuit est claire. La pleine lune sculpte les contours du grand cèdre agité par le vent. Ses branches ronflent. On dirait les basses des grandes orgues à l'église. Aminthe frissonne, se retourne vers la chambre. Une bouffée d'angoisse s'engouffre dans son esprit. Elle craint d'être envahie par le désarroi de sa sœur.

— Il faut dormir, maintenant.

Elle éteint la lampe de chevet, le plafonnier, vérifie en passant la cuisinière. Les marches de l'escalier gémissent sous son poids.

Mercredi 9 octobre

Le réveil de Marie sonne à sept heures, comme
d'habitude. Elle laisse glisser ses jambes nues hors
du lit, tâtonne vers ses savates de feutre. Elle a à
peine commencé à se redresser que le portrait de
ses parents sur le mur, les roses de la tapisserie, le
lit, sont ballottés par un mouvement incontrôlable.
Marie tangue avec eux. Elle tousse, sent la crise
venir, se laisse aller en arrière dans son lit, se
recouvre, les mains tremblantes.

Elle garde les yeux fermés, les rouvre. La
chambre en folie a retrouvé son immobilité. Son
père et sa mère la contemplent, le menton levé, le
regard droit ainsi que l'ordonnait le photographe
dans son studio. Elle baisse encore les paupières,
attend un peu.

Sa chambre est au bout de la cuisine et de la maison. Marie s'est contentée de cette petite pièce,
autrefois souillarde, lorsqu'elles ont aménagé dans
la maison de leurs grands-parents, rue Chanzy. Elle
a jugé que c'était sa place de cuisinière, et puis elle
est de plain-pied, elle dispose du jardin. En été, elle

28

profite de la porte qui ouvre directement sur les massifs de fleurs, les framboisiers, les carrés de salades et de haricots. Aminthe a préféré l'étage.

Le vent s'est calmé aux approches du jour et la pluie battante a pris la place. L'eau grésille sur le zinc de la gouttière à l'angle du toit. Les bruits de la rue parviennent assourdis jusqu'à la chambre de Marie, mais elle reconnaît la friture des pneus sur l'asphalte mouillé. Le portail du parking cogne au loin contre le mur de la maison. Elle s'inquiète à la pensée du retard qu'elle prend dans son travail, se donne un peu de temps encore, ferme les yeux un moment.

L'odeur du café la réveille. Le jour est levé. Quelle heure est-il ? Le réveil-matin indique presque neuf heures. Quand s'est-elle levée à neuf heures la dernière fois ? Elle bouge, glisse ses jambes hors du lit. Aminthe apparaît dans la porte.

— Alors, tu es enfin réveillée ? On peut faire du bruit ?

— Mon Dieu !

La chambre tangue à nouveau. Marie, qui insiste, sent des gouttes de sueur froide mouiller ses tempes et son front. Elle abandonne.

— J'ai des vertiges. Je n'arrive pas à tenir debout.

— Reste couchée. Tu n'as pas une tête à te lever.

— Mais qu'est-ce qui va faire mon travail ?

— À ton avis ?

Marie l'entend verser le charbon dans le

29

fourneau. Aminthe n'a pas eu à aller en chercher. Marie a rempli le seau hier avant de se coucher. Sa sœur revient avec un grand bol de café, une tartine beurrée. Elle porte toujours son madras de nuit avec des nœuds comme des cornes. La toux suffoque Marie, une toux rauque, encombrée.

— Est-ce que tu vas pouvoir manger toute seule ?

— Je n'ai pas faim.

— Il faut manger si tu veux guérir.

— Pose sur la table de nuit.

Aminthe appuie sa main fraîche sur le front de Marie.

— Tu es chaude. Tu as de la température. Je vais aller chercher les médicaments à la pharmacie.

— J'ai seulement la tête qui tourne. Je n'ai pas de fièvre ou très peu.

Marie essaie de se redresser un peu sur son oreiller. Elle prend une gorgée, du bout des lèvres. Aminthe répète la formule de leur mère : il faut se nourrir pour résister. Elle ne se doutait pas qu'elle serait emportée par une mort brutale.

Marie la contemple sur le mur depuis trente ans. Elle puise son énergie dans le sourire un peu voilé de cette femme qui s'appelait Rose. Les gens disaient que Marie était tout le portrait de sa mère. Leur différence était dans leurs yeux. Ceux de sa mère étaient noirs et très vifs, brillants comme le café. Ceux de Marie sont clairs, comme les avait son père. En temps normal, avaler son grand bol de café bien noir est son premier travail. Ce matin, la

30

première gorgée l'inonde de sueur. Elle se recouvre jusqu'au bout du nez, se sent encore ficelée dans la camisole de son cauchemar. C'est à cause des visiteurs d'hier qu'elle est malade, elle en est sûre. Elle a eu peur, elle a couru, elle a pris froid. Elle est trop sensible. Toute sa vie elle a été comme ça.

— Trop sensible, trop bête !

Pourtant elle a envie de vivre ce matin, ne serait-ce que pour ne pas laisser la place. Si sa sœur se retrouvait toute seule, elle serait obligée d'abandonner la maison. Elle va se soigner, guérir. Ils sont repartis hier, persuadés d'obtenir bientôt leur accord. Ils vont voir ! Les deux vieilles n'ont pas dit leur dernier mot !

Elle se soulève malgré les vertiges, prend une autre gorgée de café, suce son bout de pain. Est-ce l'effet des vertiges et des premiers bourdonnements de fièvre à ses oreilles ? Une idée folle pour les empêcher d'avoir la maison vient d'éclore dans sa tête troublée. Comment n'y ont-elles pas pensé plus tôt ? Elle en parlera à Aminthe quand elle ira mieux. Sa mère ne desserre pas les lèvres sur le vieux cliché du couple parental dans son cadre ovale. La mode était à la raideur et à la sévérité. Mais elle croit voir à travers la fièvre la mince bouche frémir et son sourire triste s'éclairer. Elle glousse toute seule dans son lit. Aminthe s'approche enveloppée dans son manteau, un parapluie à la main.

— Il pleut à seaux, soupire-t-elle, j'y vais !

Marie se sent coupable d'obliger sa sœur à sortir

par ce mauvais temps. Puis elle se réjouit de profiter de la chaleur douillette et d'être servie, pour une fois. Elle se rappelle les crises d'asthme de son enfance quand elle restait au lit dans la salle commune de la Limouzinière. Sa mère lui préparait des laits de poule.

Elle pense à Pierrot.

Elle avait oublié le petit. Aminthe sera trop contente de lui fermer la porte au nez. Il sera déçu. Ils avaient projeté ensemble la construction d'un pigeonnier.

Un frôlement familier contre le drap au bord du lit l'appelle. Elle laisse pendre sa main, trouve la fourrure chaude du chat, la caresse. Pompon miaule et bondit. Il s'enroule à sa place sur le lit. Marie sent sa boule chaude et vivante sur ses pieds. Est-ce qu'il sait lui, le médecin, si elle n'a pas besoin au contraire de Pompon pour guérir ?

Mais le mal a la vie dure. La toux, les crises d'étouffement, les vertiges, s'aggravent, malgré les médicaments. Le troisième jour la température dépasse les 39°. Marie reçoit le docteur Pichon bardée d'un tricot sur sa chemise, une écharpe autour du cou, et un bonnet de laine sur la tête. Sa figure émerge à peine, ses yeux bleus brillent comme des billes de verre.

— Je vous accorde un dernier sursis, déclare le médecin. Si la situation ne s'est pas améliorée demain, cette fois, ce sera l'hôpital.

La nuit qu'elle passe ensuite est agitée ; elle se réveille en sursaut. Le vent mugit dehors dans les rames du cèdre. Sa membrure craque. La gouttière cliquette sur ses colliers desserrés. Elle supplie à voix haute :

— Pas l'hôpital !

Il lui semble que, lorsqu'elle était petite et qu'elle faisait ses crises, le temps était déjà au vent et à la pluie. Elle allume, s'adresse à sa mère. Elle a la tentation de mourir.

— Après tout, j'ai l'âge d'aller vous rejoindre...

Il lui semble qu'elle serait bien. Puis elle a honte. Vouloir la mort est un péché. Elle n'ose pas soutenir le regard sévère de son père aux moustaches bien taillées. Il dépasse sa mère d'une demi-tête. Tout le monde pliait devant cet homme fort comme une enclume. Il buvait, mangeait, rien ne lui faisait mal. Quand il revenait de la foire, entre deux vins, ses colères faisaient trembler la maison. Elle entend encore son rire moqueur et sa réflexion pour blesser :

— Marie n'a pas de résistance !

— N'empêche, je suis arrivée à quatre-vingt-un ans ! J'ai fait mieux que vous !

Elle hésite, dans le mauvais état où elle se trouve ; elle ajoute quand même :

— Et je n'ai pas dit mon dernier mot !

Elle sent lui revenir le goût de vivre. Elle écoute courir les pattes de la pluie sur les tuiles. Elle éteint.

Le lendemain matin la température de Marie a baissé sensiblement.

— Il faut avoir senti le vent du boulet pour remonter la pente, constate le médecin en riant.

— Parce que vous croyez, docteur, que je suis malade pour le plaisir !

— Non, bien sûr. Mais je suis convaincu que vous avez plus d'énergie pour vous défendre que vous voulez nous le faire croire !

— Vous me connaissez mal, docteur. Demandez à ma sœur. Petite fille, j'étais d'une nature maladive. J'attrapais toutes les saloperies qui passaient. Je sortais d'une maladie pour tomber dans une autre.

— Et vous n'êtes pas morte. C'est ce que je disais. Vous avez encore un cœur de vingt ans.

Elle hausse les épaules mais la remarque la ragaillardit. Elle retire son bonnet de laine et découvre sa chevelure grise partagée par la raie au milieu.

— Est-ce que je n'ai pas plutôt l'air d'une écolière, plaisante-t-elle, avec ses tresses sur les épaules ?

— Elle fait la coquette avec vous, se plaint Aminthe, mais elle n'est pas facile à soigner. Elle grimace pour avaler vos médicaments, et elle ne mange rien.

— Attention, je veux que vous mangiez ! Il faut reprendre des forces. Vous allez un peu mieux. Mais si vous ne vous nourrissez pas, gare !

Elle retient qu'elle a un cœur jeune. Elle oublie les pleurs de vieux soufflet dans sa poitrine, le tangage de la chambre qui recommence dès qu'elle bouge brusquement, son front encore brûlant. Elle regarde le morceau de ciel bleu par-dessus le toit d'ardoises de l'immeuble. La pluie et le vent ont cessé. Le soleil éclabousse la serre contre le mur dans le jardin, et sa lumière blanche bouillonne par la fenêtre au travers du tulle des rideaux.

À midi et demi Aminthe lui apporte deux grosses pommes de terre écrasées avec du beurre.

— Tu manges tout. Le médecin l'a commandé !

Les pommes de terre trop salées sont presque immangeables. Marie réclame à boire. Aminthe apporte la carafe, la mine boudeuse, traînant sa mauvaise jambe. Elle a mangé de la pomme de terre, elle aussi.

— Comment as-tu fait ? Tu as salé deux fois ?

Aminthe grogne. La cuisine ne l'a jamais intéressée.

— Je t'ai obéi. J'ai mis une cuillerée de sel.

— Une cuillerée à café, pas une cuillerée à soupe !

— Tu n'avais qu'à me le dire !

Quand le carillon sonne cinq heures, et appelle à la cérémonie du café, Marie essaie de se lever. Elle doit s'arrêter, en équilibre instable au bord du lit. Elle enfile, assise, la robe de chambre posée sur le couvre-pieds, chaude de Pompon qui y a fait la sieste. Elle se tient à la cloison :

35

— Tu vas être courageuse et tenir debout, ma vieille. Tu as un cœur de vingt ans !

Elle rentre dans la cuisine en s'agrippant aux murs, puis en s'appuyant sur le dossier d'une chaise.

— Qu'est-ce que tu viens faire là ? lui reproche sa sœur dont la mauvaise humeur n'a pas passé.

Elle a déjà préparé l'assiette, le bol, pour les lui apporter dans la chambre.

— Il faut que je marche, explique Marie. Si je reste au lit, je me ramollis.

La vérité de ce qu'elle dit crève les yeux. En quelques jours, elle a perdu toutes ses forces. Elle se laisse tomber sur la chaise devant la table en poussant l'un de ses habituels petits cris. Aminthe apporte la tartine de pain grillé.

— Je peux te la beurrer, ça au moins je sais faire !

Elle étend nerveusement le beurre, le regard noir. Elle enlève sans un mot les rondelles de la cuisinière et y ajoute du charbon pour éviter à sa sœur d'avoir froid. Marie remarque que du lait a débordé sur le fourneau et que la toile émeri n'a pas été passée. Le seau de charbon a répandu de la poussière qui n'a pas été balayée. Les journaux de ces trois derniers jours traînent sur la table. L'assiette vide du chat attend sur le carrelage que quelqu'un la ramasse. Aminthe voit que Marie ne manque rien de tous ces petits laisser-aller. Sa poitrine se soulève. Elle crie, la figure cramoisie :

— Il fallait me prévenir que tu allais te lever !

36

— Mais je ne t'ai rien dit !

Aminthe a le génie du désordre. Marie est une maniaque de l'ordre. Sa mère l'a élevée dans la crainte de la saleté à cause de son asthme.

— Frotte, astique, essuie, lui disait-elle. Méfie-toi de la poussière, prends garde aux pollens, ils te rendent malade.

Marie ne se souvient pas d'avoir passé une journée sans un coup de chiffon depuis son enfance. Elle ne tolère des écarts que du chat. On dirait qu'il le sait. Quand le besoin s'en fait sentir, il miaule devant la porte du jardin et va se soulager dans les parterres. Il gratte ensuite à la porte et rentre, sans un regard, la queue droite.

— Tes pattes ! Va les essuyer sur ton coussin !

Pompon obéit et saute sur la crédence du fruitier, effleure les assiettes du vaisselier, bondit sur la corniche. Il passe partout sans rien renverser. Le rez-de-chaussée de la maison est son royaume, du sol au plafond. Il somnole là-haut, tandis qu'elle trempe sa grillée dans son café, perché sur le meuble du carillon. Elle le regarde. Il la voit. Il ronronne.

Le lendemain matin, elle prend encore son petit déjeuner au lit et se lève avec le mal au cœur. Elle se moque de son vertige et s'encourage à marcher.

— Haut les cœurs, la jeunette, haut les cœurs !

Elle s'assied devant l'évier pour faire sa toilette. L'eau fraîche et le parfum de la savonnette la

37

réconfortent. Elle s'habille et, rien qu'à laisser sa chemise de nuit et enfiler ses bas, elle a l'impression d'endosser une seconde peau et d'être guérie. Elle s'installe devant sa grande glace de chambre. C'est là qu'elle a l'habitude de se coiffer à la lumière de la fenêtre. Ses épingles à cheveux sont dans le couvercle d'une boîte de biscuits sur la commode. Elle observe avec une grimace d'ennui sa mine pâle et ses traits chiffonnés.

— Tu n'es pas belle, Marie Robin !

Ses doigts s'activent, serrent les tresses. Elle lève les bras, les coudes pour enrouler le chignon sur sa nuque. La tête ne lui tourne pas. Elle est contente. Elle pique les épingles dans ses cheveux en regardant dans le jardin. Les chrysanthèmes qu'elle prépare pour la Toussaint sont sur le point de fleurir. Ils n'ont pas souffert de la pluie et du vent. Si ce beau soleil dure, ils ne seront qu'un bouquet le jour des morts.

Elle enveloppe le chignon dans la résille de velours, la fixe, se tapote les joues pour se donner des couleurs.

— Tu es tout de même plus présentable !

Elle est déjà fatiguée. Elle refuse pourtant de se coucher après le déjeuner à l'heure de la sieste.

— J'ai été assez couchée pendant tous ces jours !

Elle va chercher la caisse de coings achetés la veille de sa maladie, qui l'attendaient sous l'escalier du corridor. Elle en glisse un plat dans le four pour la gourmandise et commence à peler les autres. Un doigt frappe à la fenêtre de la rue. Elle se lève, ne se déplace pas encore sans appuis. Cela l'insupporte, et elle s'invective de ses petits cris courroucés. Elle soulève enfin le rideau.

— Ah ! c'est vous. Je vous ouvre.

La femme qui entre ne manque pas d'allure. Ses hauts talons claquent sur le carrelage. Ses yeux clairs, derrière les lunettes, ne manquent rien de la cuisine de Marie, mais ils promènent sur les choses un regard empreint de douceur. Elle déboutonne sa veste de tailleur à l'élégance discrète.

Mme Jeanne-Marie Bégaud est directrice à l'école Jeanne-d'Arc voisine de la maison des sœurs Robin. De son lit de malade, Marie entendait les enfants sur la cour de récréation et leurs cris lui tenaient compagnie. Les deux sœurs supposent que Mme Jeanne-Marie a été religieuse dans sa jeunesse. Elle a quitté le voile pour épouser M. Bégaud, adjoint à Jeanne-d'Arc. Ils n'ont pas eu d'enfant. M. Bégaud est mort il y a deux ans d'une longue maladie et Mme Bégaud est revenue à ses premières amours. Elle se dévoue corps et âme à son école et elle a accepté d'être la responsable du catéchisme pour la ville.

— De la catéchèse... Ce n'est pas la même chose, mademoiselle Marie ! Un jour, je prendrai le temps de vous expliquer la différence.

Ses élèves et les parents l'appellent affectueusement Mme Jeanne-Marie. Certains ne connaissent même pas son nom, et elle apprécie cette familiarité. Elle fréquente régulièrement les sœurs Robin.

— Ce sont mes plus proches voisines ! Je n'ai pas de mérite. Je les aime ces deux vieilles demoiselles aussi différentes que l'eau et le feu. Leur rendre visite est ma récréation.

Elle suit Marie dans sa cuisine.

— Oh ! fait-elle en humant, vous cuisez des pommes au four !

Marie ne répond pas. Elle offre une chaise, reprend sa place et son couteau et continue de peler.

— Que préparez-vous ? De la confiture de poires ?

— Excusez-moi, madame Jeanne-Marie, vous êtes beaucoup plus intelligente que moi, mais comment pouvez-vous vous tromper de la sorte ? Est-ce que ce sont des poires ? Est-ce que ça sent la pomme au four ? Je fais de la confiture de coings. Et ce sont des coings qui cuisent !

Jeanne-Marie éclate de rire.

— Je me trompe toujours ! Mon mari, qui était chasseur, me reprochait de ne pas distinguer un lièvre d'un lapin, un champ de seigle d'un champ de blé ! Je n'ai pas appris à reconnaître ces choses dans mon institution de bonnes sœurs. Je mangeais ce qu'on mettait dans mon assiette. Mais je vois que vous avez retrouvé la forme, et je m'en réjouis.

Marie secoue la tête et interroge les yeux de son amie.

— Vous me trouvez amaigrie. Ne me dites pas le contraire, je me faisais peur dans la glace tout à l'heure.

40

Mme Jeanne-Marie secoue sincèrement la tête.

— Bien sûr, vous avez un peu maigri, mais vous n'avez pas si mauvaise mine. Je suis certaine que, dans huit jours, vous trotterez comme un lapin !

— Vous croyez ?

— Donnez-moi un couteau, lui demande l'institutrice. Même si je ne vous suis pas d'un grand secours, je ne veux pas être une bavarde qui vous regarde travailler. Où est votre sœur ? fait-elle juste au moment où dégringolent de l'étage les notes de piano.

Marie sourit et désigne les solives de la pointe de son couteau.

— Elle donne une leçon.

L'interprète trébuche au moment où la phrase va s'envoler et sa professeur, sans doute, l'oblige à recommencer. Elles l'écoutent distraitement tandis que leurs lames s'activent sur les fruits au parfum d'automne.

— Votre petit ami Pierrot ne vous a pas rendu visite. C'est lui qui m'a appris que vous étiez malade. Aminthe lui a refusé d'entrer de crainte que vous ne soyez contagieuse.

— Elle a eu raison. Je ne devais pas être très belle à voir pour un enfant. Je le verrai après-demain. On sera mercredi. Nous avons projeté la construction d'une cage à pigeons.

Elle est épuisée après le départ de Mme Jeanne-Marie. Elle a trop entrepris pour un premier jour de convalescence. La confiture bouillotte doucement sur le coin de la cuisinière. Marie trouve à peine la force de soulever le couvercle pour la remuer avec la cuiller de bois. Un peu plus, elle appuierait la main sur la plaque brûlante. Elle tousse. Chaque respiration redevient une souffrance. Elle touche son front chaud. La fièvre serait-elle revenue ? Elle regagne son lit en frissonnant, honteuse d'avoir présumé de ses forces. Elle regarde décliner la lumière de cette journée fleurie de nuages lilas, supplie sa mère figée dans son cadre de bois.

— Aidez-moi. Je veux être d'attaque mercredi pour le petit !

Le portail du parking s'ouvre et se referme là-bas. Les marches de l'escalier gémissent sous le poids d'Aminthe.

Mercredi 16 octobre

Le carillon sonne deux heures lorsque la petite main de Pierrot frappe au carreau de la fenêtre. Marie le guettait assise derrière le brise-bise et elle se précipite à la porte du corridor. Il avance une roue de son petit vélo rouge, les mains au guidon, les pieds sur le sol de part et d'autre des pédales. Il plante ses yeux verts et confiants dans ceux de Marie, le sourire ébréché par la chute de ses dents de lait.

— Alors, demande-t-il la voix éraillée, tu n'es plus contagieuse ?

— Qui t'a dit que j'étais contagieuse ? L'asthme n'est pas une maladie contagieuse !

— Mlle Aminthe.

— Aminthe raconte des bêtises. Entre vite. Attention à tes roues !

Pierrot, qui a l'habitude, descend de sa monture. Marie prend le vélo par le guidon, lui par la selle, et ils portent le vélo au-dessus des dalles luisantes de cire jusqu'à la porte du jardin. L'air vif surprend Marie qui laisse échapper un cri.

43

— Qu'est-ce que tu as ? interroge Pierrot.

— Comment ça ?

— Tu as fait hi !

— J'ai fait hi ?

Il enfourche son vélo et s'élance avec des vroum ! vroum ! de moto pleins gaz. Il traverse la cour, enfile l'allée centrale du jardin, bascule d'un coup à droite dans l'allée des framboisiers, rapplique au maximum de la vitesse vers Marie qui pousse les cris qu'il espérait.

— Fais attention ! Tu vas tomber !

Il stoppe juste devant elle en dérapage contrôlé, la figure rayonnante.

— Tu trouves que je vais vite ?

Elle hausse les épaules.

— Tu vas te faire mal et, après, tu pleureras.

La réponse ne le satisfait pas et il repart de plus belle.

— Doucement ! Tu vas abîmer mes framboisiers !

Il revient, essoufflé.

— On va la construire cette cage à pigeons ?

Elle hésite, interroge le cèdre vertigineux qui frissonne au milieu de la cour, regarde le ciel au bleu engageant. Il faut traverser la cour et le jardin pour aller jusqu'à l'atelier. Elle hume l'air vif à la douceur trompeuse : on est à la mi-octobre. Elle pense à ses poumons fatigués qui gémissent, à ses jambes flageolantes.

— Attends ! dit-elle.

Elle attrape l'écharpe écossaise au portemanteau

du corridor et se la noue par-dessus son foulard noir. Le petit applaudit, se dresse sur les pédales et fonce vers le bout du jardin. Elle se risque en s'appuyant sur son bâton, longe le carré des dernières scaroles et des ultimes tomates qui ne réussissent plus à rougir.

— C'est peut-être la dernière année que je cultive tout ça..., murmure-t-elle.

Elle surprend le regard inquiet lancé par le petit vers les fenêtres de l'étage.

— Ne t'inquiète pas, le grand gendarme n'est pas là ! Elle est partie au clube. Elle l'a manqué à cause de moi, la semaine dernière. Elle n'a pas laissé passer sa partie de cartes aujourd'hui.

Il l'attend devant la porte à double vantail enduite d'un rouge sang de bœuf écaillé. Le grand-père d'Aminthe et Marie, le père de Rose, a exercé là son métier de tonnelier jusqu'aux années soixante. Il a vécu avec amertume la disparition d'une profession condamnée en même temps qu'on arrachait les carrés de vigne. Marie tire la grosse clé de sa poche de blouse. Le portail du parking cogne de l'autre côté du mur. Ici la sensation d'être enfermé dans des tenailles est plus grande encore. Les immeubles de béton dressent leurs murs de chaque côté de l'atelier qui paraît minuscule.

— Lorsque je rendais visite à mon grand-père, à ton âge Pierrot, son atelier me paraissait immense !

Heureusement le jardin est grand et l'école apporte un peu d'air et de lumière.

— Tu ouvres ! réclame Pierrot qui s'impatiente.

Pierrot l'aide à soulever la porte qui pique sur le ciment. Ils poussent le second vantail pour y voir plus clair.

— Alors, où en étions-nous la dernière fois ?

Ils ont transporté sur la brouette les toits à lapins du grand-père abandonnés dans un coin du jardin pour les aménager en une cage à pigeon neuve. La carcasse est en cours de désossement au milieu de l'atelier. Le petit brandit la planchette où elle a griffonné leur plan. Elle ne se rappelle plus très clairement où ils en étaient. La maladie est passée là-dessus.

— Je crois que tu finissais d'arracher les dernières petites pointes sur le vieux bois. Moi je le nettoyais avec le couteau à deux manches...

Il hoche la tête et ajoute avec gravité :

— Après je raboterai le bois neuf.

— Eh bien, à l'ouvrage !

Elle sait que Pierrot ne se battra pas longtemps avec les tenailles et les pointes. Il préférera se servir de la colombe du grand-père. Le tonnelier y rabotait les douelles pour les ajuster. Pierrot qui a vu Marie travailler sur l'énorme rabot fixé sur pieds ne tardera pas à proposer de la remplacer.

Il déroule sous la lame une boucle blonde de sapin tendre qui diffuse son odeur piquante dans l'atelier, et recommence pour le plaisir.

— N'exagère pas ! Économise ! Si tu rabotes trop, il ne restera plus rien.

Lorsque Aminthe et elle ont emménagé dans la maison du grand-père, après sa mort, elles avaient prévu de vider l'atelier de ses vieilleries inutiles. Marie était de cet avis avec son goût de l'ordre. Et puis elle a eu besoin de marteaux et de clous. Elle a utilisé l'établi et des outils bizarres comme les couteaux à deux manches. Elle s'est trouvé des dons de bricoleuse et l'atelier est devenu son territoire. Elle a cloué au mur l'article du journal sur le grand-père Eugène à quelques mois de la fermeture. La photo jaunie montre le petit homme râblé dans son tablier de cuir qui incline ses moustaches blanches vers la cigarette qu'il est en train de rouler.

— Comment ça se passe avec Mme Aumont, ta gardienne ? demande Marie à Pierrot qui continue de dérouler des copeaux sur la colombe.

— Elle me gronde.

— Si elle te gronde, c'est que tu fais des bêtises.

— Je n'ai pas le droit de bouger. Elle n'est pas gentille.

— Elle est gentille, puisqu'elle te laisse venir passer l'après-midi avec moi.

— Ça l'arrange. Elle peut se promener en ville.

— Tu n'es pas content d'être avec moi ?

L'enfant lève sa bouille ovale. Ses cheveux châtains sont tondus si court qu'on lui voit la peau. Ses yeux verts s'illuminent.

— Si.

Marie était sûre de la réponse. Elle appelle Pierrot.

— Viens, tu finiras après. On va présenter les morceaux.

47

Ils s'affairent à leur jeu de construction et ils manquent de mains.

— J'ai reçu une carte de maman, dit-il, l'air de lancer une parole en l'air.

— Tiens bon... Ah ? Qu'est-ce qu'il y a sur cette carte ?

— Du sable, et des palmiers.

— Et qu'est-ce qu'elle t'écrit, ta mère ?

— Que, si elle a assez d'argent, elle me paiera l'avion pour passer Noël avec elle.

— Tu as de la chance ! Tu irais pour Noël à la Martinique ?

— Pas la Martinique, la Guadeloupe !

— Moi, je n'ai jamais pris l'avion. Mais si tu vas là-bas, tu n'auras pas de neige. Un Noël sans neige n'est pas un vrai Noël !

— Il ne neige pas ici non plus.

— Il ne neige pas, mais il fait froid. Tu imagines le petit Jésus sans l'âne et le bœuf pour le réchauffer dans la crèche ?

Pierrot dévisage Marie par en dessous, l'air méfiant.

— Toi, dit-il, tu es jalouse. Tu voudrais bien aller à Pointe-à-Pitre. Comme tu ne le peux pas, tu dis que je n'irai pas !

— Peut-être, tu as raison... Peut-être bien que je voudrais, moi aussi, une mère à l'île de la Guadeloupe que j'irais rejoindre un jour de l'autre côté de la mer...

Pierrot lâche son morceau de bois, appuie sa

main blanche sur celle de Marie marquée de taches brunes.

— Je parlerai à papa. Si tu le voulais, tu pourrais venir avec nous. Il achèterait ton billet d'avion.

— Tu y crois, toi ?... demande-t-elle sceptique.

— À quoi ?

— Tiens bon, insiste-t-elle, je veux présenter la toiture.

La figure de Pierrot s'est durcie. Une moue boudeuse gonfle sa bouche.

— Ma mère est riche ! Elle travaille dans un hôtel avec une piscine, et j'irai m'y baigner !

Les vieilles douleurs de Marie sont revenues. Ses bronches pleurent. Elle tire une chaise délabrée pour s'asseoir.

— Ça va, tu peux lâcher, souffle-t-elle. Quand tu auras fini de raboter, nous commencerons à clouer.

Il répond, maussade :

— J'ai fini.

— Eh bien, apporte-moi les marteaux et les clous !

Il décroche sur le mur son petit marteau. Mais aussi, pense-t-elle, pourquoi cette mère indigne qui s'est envolée dans les îles avec un collègue de son mari éprouve-t-elle le besoin de faire croire à ce pauvre gosse qu'elle va le prendre ? Elle lui a déjà joué le même tour à Pâques ! Le souvenir de la souffrance du petit lui pique les yeux. Elle approche sa chaise de leur chantier, plante le premier clou et lui demande doucement :

— Finis de l'enfoncer.

Elle remue la tête.

— Tu me vois monter dans un avion à mon âge ? Les pilotes ne voudraient pas de moi. C'est bon pour des jeunes en bonne santé comme toi.

Ils travaillent à la chaîne. Marie, qui s'est relevée, introduit les pointes d'un léger coup de marteau. Pierrot achève de les enfoncer. Elles rentrent facilement dans le sapin tendre et le vieux bois de châtaignier du grand-père.

La comtoise de l'atelier sans boîtier sonne quatre heures et demie lorsqu'ils clouent la dernière planche au toit. Réduite au cadran, au balancier et aux poids, la pendule n'en est pas moins d'une exactitude parfaite.

— On va s'arrêter là. Quand tu reviendras, on fixera le grillage. Puis on ira acheter les pigeons.

— On les achètera ensemble ?

— Dégourdi, c'est toi qui les choisiras !

Pierrot rit. Il n'y a plus d'ombre entre eux. Les liens de leur complicité sont renoués. Il abandonne son marteau et bondit vers son petit vélo appuyé au portail.

— Pierrot, on range son matériel quand on s'en va !

Il revient, s'affaire autour des pointes et des marteaux. Marie rassemble les copeaux au balai.

— Va.

Il n'attendait que cette permission pour sauter en selle. Elle réajuste son foulard, puis l'écharpe écossaise dénouée sur ses épaules, récupère son bâton, remonte l'allée à petits pas fatigués. Le jour a déjà commencé de baisser. Un vent triste soupire dans les basses branches du cèdre et les soulève.

— S'il gèle, murmure Marie, mes dernières tomates n'y résisteront pas. Il faudrait que je vienne les cueillir tout à l'heure. Elles seraient bonnes en confiture.

Pierrot la frôle en pédalant à toute vitesse.

— Tu aimes les confitures ? l'interpelle-t-elle.

— Oui.

— Et vous croyez que ma paresseuse de sœur n'aurait pas pu rentrer mes géraniums ? Elle prétend qu'elle marche mal. Elle préfère s'en aller courir !

Pierrot s'assoit à la table sans attendre. Elle lui apporte son bol et sa serviette qu'il noue sagement comme il l'a appris à l'école : il fait le double nœud sous son menton et pivote la serviette pour le placer sur sa nuque. Marie lui verse le chocolat. Pompon, assis sur la table près de lui, ronronne du bonheur de ces effluves tièdes et attend tranquillement son dû, clignant ses yeux verts.

— Ne le caresse pas pendant que tu manges !

Marie s'assoit à son tour devant son bol de café, se relève pour allumer la lumière.

— Le chocolat t'a peint des moustaches de chat !

Pierrot s'essuie. Marie se régale de l'ovale de ce crâne tondu, de la pureté du front bombé, de la franchise des grands yeux dorés par la lumière.

— Si vous ne sortez pas dimanche avec ton

père, tu pourras venir, nous poserons le grillage. Et alors, mercredi prochain, je pense que je serai assez gaillarde pour aller acheter les pigeons.

Le petit balance les jambes sous sa chaise et répète :

— Peut-être ! Peut-être !

La lassitude de Marie qui va et vient selon ses humeurs s'est de nouveau envolée. Il ne me faut pas de contrariété..., pense-t-elle. Elle sent qu'elle va ressortir cueillir ses tomates.

Elle n'a rien fait pour attirer Pierrot et le retenir. C'est arrivé tout seul. Son ballon a sauté un jour le mur séparant l'école du jardin. Il est venu le chercher avec son père. Et il a frappé au carreau de la fenêtre quelques soirs plus tard en sortant de l'école. Elle a interrogé Mme Jeanne-Marie qui lui a appris que Pierrot était seul avec son père. Il est revenu. Leurs rendez-vous du mercredi, et parfois du dimanche, sont devenus la règle.

Pompon s'arrête de ronronner. Pierrot a fini de boire son chocolat. Il pousse vers le chat les quelques gouttes au fond du bol qu'il lui a laissées, et les retire. Le chat feint de regarder vers la fenêtre et la lumière violette derrière la vitre, mais ses oreilles sont dressées, et sa queue ondule. Pierrot recommence un fois encore et abandonne le bol. Pompon y plonge la tête.

Vendredi 18 octobre

Aminthe entrouvre les yeux dans son lit. Elle allume sa lampe de chevet en opaline frangée de perles et grise de poussière, regarde son réveil et grogne : sa sœur va encore lui reprocher de se lever tard. Elle a bien dormi. Elle dort d'ailleurs toujours comme une bûche. Cela ne l'empêche pas d'être de mauvaise humeur.

Elle appuie sur le bouton de la télécommande, les chaînes défilent sur l'écran. Le même programme imbécile se succède : dessins animés, recettes de cuisine, télé-achat. Elle éteint en grognant. Elle a bien dormi mais elle a mal à sa mauvaise jambe. Elle souffre d'élancements dans la hanche et la douleur file jusqu'au genou.

— Si tu étais moins lourde ! se reproche-t-elle tout haut.

Elle se tourne sur le côté, la douleur disparaît. Peut-être ne souffre-t-elle pas plus que d'habitude ? C'est plus fort qu'elle, il faut qu'elle trouve un prétexte pour passer sa mauvaise humeur. Elle ne se souvient pas d'avoir connu un jour sans contrariété.

Les jours heureux et insouciants de sa petite enfance remontent pourtant à sa mémoire tout inondés de soleil. Elle joue dans la cour de la Limouzinière avec Marie sa sœur. Elles ont construit une tente contre le mur de la boulangerie avec des couvertures, des piquets, de la ficelle. Le soleil filtre à travers la couverture et les filles se glissent dans l'ombre aux reflets roses. Elles disaient «jouer à la mère à la fille». Le souvenir de ces moments dans la pénombre chaude revient comme une bouffée de bonheur pur. Puis tout a basculé. Il y a eu le drame, les cris, les larmes. Elle n'a plus connu le repos.

Elle regarde à nouveau le réveil. Elle rugit. Il va falloir encore courir. Sa petite élève Pauline va arriver. Elle s'assoit sur le bord du lit, laisse tomber ses pieds sur le plancher comme un pachyderme. Elle considère avec dégoût ses lourdes cuisses grasses et blanches, tire sur elles un pan de sa chemise de nuit.

— Allez, bouscule-toi !

Elle traîne ses savates jusqu'au bouton du plafonnier près de la porte, se retourne sur le désordre de sa chambre, le livre et les revues abandonnés sur la descente de lit, sa jupe, son sac à main, son soutien-gorge, en tas dans le fauteuil.

— Si Marie voyait ça, elle se fâcherait !

Elle récupère sa robe de chambre au pied de son lit, pousse les volets qui claquent contre le mur. Les mains à plat sur le granit de l'appui, elle se laisse éblouir par le soleil qui incendie la cime du cèdre.

L'arbre paraît plus majestueux encore à partir de l'étage. On dirait une pigne mouvante. La circulation à travers la ville emplit l'air d'un bourdonnement continu. Marie, en bas, a chargé trois chrysanthèmes sur sa brouette et s'apprête à les rouler vers la serre. Elle lève la tête vers sa sœur, s'offusque de lui découvrir encore ce calicot noué sur les cheveux. Aminthe s'en aperçoit et crie :

— Tu trouves que je me lève tard !

Marie hausse les épaules :

— Je ne t'ai rien dit !

Aminthe referme vivement la fenêtre, file dans la grande pièce qu'elle nomme son salon, pioche une dragée dans la bonbonnière sur la table basse pour se calmer. Elle singe la voix de Marie :

— Aminthe, fais attention à ton diabète !

Elle soupire devant les faux plis de sa robe froissée, hésite, la jette sur son bras, ajoute ses collants, sa combinaison, son soutien-gorge, et marche vers la salle de bains. Elle en a exigé une en s'installant à l'étage. Marie s'est contentée de l'évier de la cuisine enfermé dans un placard. Elle rabat les portes pour se dissimuler lorsqu'elle se lave, et sa savonnette, son shampooing, son gant de toilette, cohabitent avec l'éponge et les produits de vaisselle. Aminthe a refusé de partager l'évier avec sa sœur. Elle ne tenait pas à se montrer, surtout à Marie.

Elle grimace en enjambant le bord du bac à douche. Ce simple mouvement lui lance des couteaux dans la hanche. Elle voit venir avec angoisse le jour où elle ne pourra plus enjamber, encore moins monter l'escalier qui ne fait qu'aggraver ses souffrances.

— Le maire et ses acolytes voient juste, tu es bonne pour la maison de retraite !

Elle grogne, tourne les robinets. Marie trouve que sa douche de chaque matin est un luxe. Elle lui présente la facture de l'eau, elle qui économise la moindre goutte. Aminthe ne reste pourtant pas longtemps sous le jet. Le plaisir de l'eau tiède sur ses épaules, sur ses seins, ses hanches, la réconforte. Elle ferme les yeux et a l'impression d'être redevenue jeune fille. Elle les rouvre et découvre ses seins, son ventre gras, sa mauvaise jambe qui fait le compas à l'intérieur du genou.

— Voilà ce qu'est devenue la petite Aminthe.

Elle frotte sans pitié les bourrelets. L'odeur du savon la réveille. Le bas du rideau noirci de moisissures la navre. Elle remet chaque jour le soin de le nettoyer.

— Il faudra quand même que je me décide...

Elle serre sur sa jambe sa bande à varices, enfile sa robe d'hortensias qui la grossit, mais elle aime le bleu. Elle jette son gilet sur ses épaules.

La présence de Pauline en bas dans le corridor lui arrache un sifflement. Marie, bien sûr, l'a fait entrer, et ne l'a pas prévenue.

— Je reviens, grommelle-t-elle. J'en ai pour une minute.

Le café chaud, heureusement, l'attend sur la cuisinière, et les deux tartines beurrées près de son bol. Aminthe lorgne vers le jardin et sa sœur, et en profite pour voler deux carrés de chocolat qu'elle croque avec le café. Elle se retourne, et se retrouve face à sa sœur qui rentre le tablier rempli de tomates vertes. Marie ne dit rien. Elle dépose le contenu du tablier sur la table.

— Voilà encore quelques kilos de confiture à préparer... et à manger !... ajoute-t-elle avec un regard lourd de sous-entendus sur sa sœur.

Aminthe fonce vers le corridor.

— Monte ! dit-elle à la fillette qui obéit.

Pauline, à douze ans, est vêtue d'un blazer de collège bleu marine à boutons dorés sur une jupe plissée. Rien que pour ce costume désuet qu'elle portait autrefois et qu'elle n'aimait pas, Aminthe a envie de bousculer la petite.

— Tu ne préférerais pas quelquefois mettre des jeans et des pulls de couleur comme les filles de ton âge ? demande-t-elle, perfide, en voyant monter les mollets fuselés recouverts de chaussettes blanches.

— Maman n'aime pas ça.

— Ah ! si maman n'aime pas !

Aminthe entre la première dans le noir du salon, saisit au vol un tablier sur un fauteuil, tire les rideaux. Les odeurs de sa chambre traînent dans la pièce fermée. Elle ouvre les volets. La rumeur de la ville pénètre en grondant. Le soleil ruisselle sur les tapis.

— Tu peux ouvrir l'autre fenêtre, propose-t-elle à Pauline qui attend, sa partition sous le bras.

La fillette pâlotte sourit entre ses tresses brunes.

Aminthe débusque, désolée, un long fil de toile d'araignée qui ondule et chatoie dans le soleil. Elle découvre dans les encoignures d'autres « nids à poussière » ainsi que les appelle sa sœur. Elle a rempli ce salon d'armoires, guéridons, tables de famille, que personne ne voulait et qui auraient fini au mieux chez le brocanteur. Ses murs sont garnis de tableaux champêtres, parties de chasse, Christ, Vierge, plus ou moins poussiéreux.

— On étouffe ici ! soupire-t-elle. Il faudrait avoir le courage de se débarrasser de tout ça !

Elle lève le couvercle du piano et invite Pauline à s'asseoir sur le tabouret.

— Tiens-toi droite !

Elle s'empare de ses doigts pour rectifier leur position sur le clavier. Pauline grimace parce que les ongles longs d'Aminthe lui entrent dans la peau et qu'elle prend un malin plaisir à lui tordre les phalanges.

— Non ! s'emporte la maîtresse acariâtre.

Elle se penche sur le clavier et exécute avec vigueur les premières notes du morceau.

— À toi.

La fillette imite assez bien la vigueur d'interprétation de sa maîtresse, puis son jeu s'amollit, hésite.

— Vas-y ! Tu égrènes les notes les unes après les autres, alors qu'elles sont liées. C'est une phrase musicale, ne l'oublie pas !

Aminthe chante *Lacmé* que la petite essaie de

jouer, la précédant de sa voix rude. Pauline trébuche. Aminthe glapit :

— Si bémol ! Si bémol !

Ses fanons tremblent. Les larmes roulent dans
les yeux de Pauline. Aminthe le voit.

— Je vous avais prévenues, ta mère et toi, que
ce ne serait pas une partie de plaisir ! Tu veux toujours faire du piano ?

La petite rentre ses larmes et incline timidement
la nuque, les épaules droites.

— Eh bien, on continue..., ajoute plus doucement Aminthe.

Pauline exaspère Aminthe à être trop mignonne
et trop obéissante. Il est vrai que si elle se révoltait,
cela ne lui plairait pas non plus. En réalité, elle
n'aime pas beaucoup les enfants. Elle se méfie
d'eux et ne croit pas en leur innocence. Elle est dure
pendant ses leçons de piano et perd ainsi des élèves
qui apportent à leur maigre pension un complément
financier appréciable. Et elle ne voit pas d'un bon
œil sa sœur s'extasier des visites de Pierrot.

L'heure de la leçon s'avance. Aminthe modère
ses interventions auprès de son élève et laisse aller
son jeu au rythme désordonné. La petite retrouve
un commencement de sourire. Elle ne sera jamais
même une mauvaise pianiste.

La matinée s'achève. Marie découpe ses tomates
dans la bassine à confitures, lorsque des coups vifs
ébranlent la porte d'entrée. On dirait des coups de

pied. Les méchants petits voyous des immeubles en sont capables pour effrayer les deux vieilles. La peur paralyse Marie, le couteau de cuisine à la main, les doigts mouillés.

Les coups se répètent. Elle se glisse jusqu'à la fenêtre en poussant son cri effarouché et se précipite à la porte en s'essuyant les mains à son tablier.

— Tu me fais peur à chaque fois, dit-elle. Pourquoi frappes-tu si fort ?

— Je frappe pour être entendu. Parfois Aminthe joue du piano, toi tu es au fond du jardin, chez vous c'est une maison de sourdes.

— J'entends mieux que toi ! se défend Marie.

— Tu es debout, constate le visiteur, tu n'es pas aussi mal qu'on me l'avait dit.

Il enlève sa casquette et découvre son crâne chauve, rouge comme ses poings. Il se dépouille de son pardessus et le remet à la frêle Marie qu'il domine de sa haute stature. On ne dirait pas le frère et la sœur.

— Aminthe, crie-t-elle en accrochant le vêtement de son frère au portemanteau, c'est René !

Elle insiste pour lui prendre aussi sa casquette à carreaux et son cache-col.

— Plus le temps passe, assure-t-elle en dodelinant, plus tu ressembles à notre père.

— La moustache en moins ! rectifie-t-il avec un rire tonitruant qui réveille Pompon dans sa caisse au pied de la cuisinière.

Marie rassemble les tomates répandues sur la table, tire vers elle la feuille de papier journal où elle les épépinait. Elle offre une chaise à son frère tandis qu'elle frotte la toile cirée avec l'éponge et qu'ils parlent des bienfaits de ce soleil d'octobre pour les jardins et les champs. Il cherche dans sa poche de veste, sort son paquet de tabac.

— Il ne fait pas froid chez vous, reconnaît-il, la feuille de Riz-la-Croix collée à la lèvre, la figure cramoisie par la chaleur après le grand air du dehors.

Ses gros doigts s'activent à rouler une cigarette sans bourrelets. Il l'allume avec son briquet quand Aminthe rentre dans la cuisine.

— Tu fumes et Marie va tousser ! lui reproche-t-elle en guise de bonjour. Tu ne pouvais pas attendre ? Bien sûr, elle ne te dira rien à toi, mais elle a fait une grosse crise il y a quelques jours !

— Écoute, tranche René, si tu m'accueilles en m'envoyant fumer dehors, je m'en vais !

Il se dresse, bouscule sa chaise. Marie se précipite.

— Non, René, reste ! Ne t'occupe pas de ce qu'elle dit. Est-ce que je me suis plainte ?

Elle pose devant lui un cendrier en le persuadant de se rasseoir.

— Bon, mais cessez de me tourner autour, et asseyez-vous, vous aussi, vous me fatiguez !

Aminthe s'assied. Marie apporte les petites tasses et le café toujours gardé au chaud sur le coin de la cuisinière. René tire sur sa cigarette, en frotte l'extrémité au bord du cendrier. À l'autre bout de la maison monte la plainte du portail qui s'ouvre et se referme.

— Je ne sais pas comment vous faites pour supporter ça !

— On y est habituées, dit Marie.

Elles attendent. Elles savent que leur frère n'est pas passé pour le simple plaisir de les voir. Il hésite. Il n'est pas d'un naturel bavard. Il frotte son nez avec son poing.

— Je suis bien content de te voir sur tes jambes, Marie, mais...

Il se tourne vers sa seconde sœur.

— ... l'avertissement n'est pas à prendre à la légère et, à mon avis, vous ne pouvez pas retarder plus longtemps des décisions importantes.

— Quelles décisions, mon frère ? Je te trouve tout d'un coup bien intéressé par des questions qui ne te concernent pas !

— Vous savez de quoi je veux parler... Vous ne pourrez pas rester éternellement toutes les deux, toutes seules, dans cette grande maison.

— Et qu'est-ce que tu proposes ? interroge Aminthe amère. Quand on a eu besoin de quelqu'un, ce n'est généralement pas à toi qu'on a fait appel. Tu étais trop occupé par tes affaires.

— Moi, rien, mais il y en a qui vous ont fait, je crois, des propositions intéressantes...

— Tu es envoyé par eux ! s'indigne Aminthe.

Sa tête, ses fanons, sa gorge, tremblent. Elle chasse de la main la fumée de cigarette qui lui revient à la figure.

62

— Tu as reçu la visite du maire et de ses acolytes. Ils t'ont encouragé à venir nous voir pour nous convaincre !

Marie acquiesce d'un cri. René hausse ses épais sourcils noirs.

— Oui, et alors ?

— Tu as pris leur parti contre nous !

— Vous êtes complètement folles ! Vous imaginez une conspiration. Vous croyez que le maire n'a pas autre chose à penser que vos histoires de maison ? Il prend le temps de venir s'expliquer chez vous. Il vous propose quelque chose qui vous sauve et vous ne vous en rendez même pas compte. Vous devriez le remercier ! Vous êtes vieilles ! Quand on est vieux, on est malade, et ça coûte beaucoup. Tu as quatre-vingt-un ans Marie, soixante-dix-neuf Aminthe.

Il parle avec rudesse en assenant les mots avec l'acharnement d'un bûcheron. Mais il n'impressionne pas ses sœurs, et c'est Marie qui lui répond :

— Toi, tu as soixante-quinze ans, René. C'était ton anniversaire, la semaine dernière, j'y ai pensé. À une certaine époque, on se souhaitait les anniversaires. Tu es jeune encore, tu as tout l'avenir devant toi, mais tu nous auras bien vite rattrapées, et la question se posera aussi pour toi... dans pas si longtemps.

René pose sa cigarette au bord du cendrier, tend sa tasse à sa sœur pour qu'elle lui serve une seconde tournée de café.

— Franchement, dit-il conciliant, qu'est-ce que

vous voulez faire de cette grande maison, ce grand jardin, cette grande cour, que vous ne serez plus capables d'entretenir ? Ces gens vous offrent beaucoup d'argent et vous mettent à l'abri jusqu'à la fin de vos jours.

Aminthe croise les bras sous sa poitrine et s'incline vers son frère par-dessus la table.

— Es-tu prêt à te débarrasser de tes affaires, toi qui le conseilles si facilement aux autres ?

— Moi, j'ai mes enfants, mes petits-enfants. Mes affaires, comme tu dis, ne sont même plus vraiment à moi.

— Tu as réussi, tant mieux pour toi. Il n'y a que ça qui compte. Ce que les autres peuvent souffrir n'est pas ton problème. Tu es comme papa qui a écrasé maman pendant toute sa vie !

— Je me soucie de vous ! se défend René qu'un jet de sang cramoisit, même ses mains en sont empourprées, puisque je vous conseille de prendre ce qui vous est offert.

— Oui, tu voudrais qu'on abandonne notre maison parce que ça t'arrange. Tu serais bien tranquille. On serait enfermées dans un hospice.

— Il ne s'agit pas d'un hospice !

— Nous, on n'a que cette maison. C'est la maison de maman. On ne veut pas qu'elle soit rasée. On a nos amis autour. Si on nous l'enlève, on sera des misérables.

— Vous verrez si vous ne serez pas misérables quand vous serez malades !

64

Les larmes jaillissent et roulent dans les yeux noirs d'Aminthe.

— Ce que tu vois, toi, c'est que lorsque nous serons chez les vieux avec l'argent des promoteurs, tu n'auras plus de raison de payer notre pension.

Les doigts de Marie sont agités. Elle les croise, les décroise, les frotte.

— Marie, tes doigts ! la rappelle brutalement Aminthe.

Elle a visé juste. René serre les poings comme s'il voulait frapper. Il les appuie sur la table pour se lever, bouscule rudement la chaise, les mâchoires serrées.

— Je crois que je vous l'ai toujours payée votre pension ! En tout cas, si vous êtes dans le besoin, ne comptez pas sur moi pour vous donner plus ! L'agriculture connaît assez de difficultés aujourd'hui. On vend la viande moins cher qu'il y a dix ans. Et puis après ce que vous venez de me dire !

— On ne te demande rien que ce que tu nous dois, ironise Aminthe qui s'essuie les yeux. Mais tu ne vas pas me dire que les 3 000 francs que tu nous verses et qui nous permettent de vivre sont une grosse somme pour toi ?

— C'est ce qui était convenu chez le notaire quand nous t'avons laissé la Limouzinière en échange de cette maison de la rue Chanzy dont tu veux nous priver, rajoute Marie.

— Si vous mettez ça maintenant sur le tapis ! gronde-t-il.

Il hésite à reprendre sa cigarette au bord du

cendrier, la laisse, et fonce vers le corridor. Aminthe lance dans son dos :

— Tu ne vas pas te plaindre de ce partage. Tu n'as pas été désavantagé !

Elles se sont levées à leur tour et l'ont rejoint. Des auréoles de sueur mouillent la robe d'Aminthe sous les bras. En même temps que René réendosse son pardessus, il retrouve une carapace. Il se dresse dans sa dignité outragée, noue son cache-col sous son menton, coiffe sa casquette.

— Vous pouvez décider ce que vous voulez, martèle-t-il en prenant la poignée de la porte, vous êtes libres. Je m'en fous !

Marie lui répond, les mains dans les poches de son tablier, la voix vibrante :

— Crois-tu qu'on puisse envisager de gaieté de cœur la disparition de cette maison en même temps que nous ?

René n'a pas entendu les derniers mots de sa sœur. Il a tiré la porte. Elles restent face à face dans le demi-jour du corridor. L'émotion soulève leurs poitrines. Marie a du mal à respirer.

— Eh bien, comme ça, il saura ce que nous pensons ! s'écrie Aminthe. J'hésitais encore. Maintenant, ma décision est prise : on fera comme tu as dit. Lui aussi sera surpris. Il n'a pas pensé sûrement qu'on était capables de ça !

Les yeux de Marie luisent dans la pénombre.

— Tu crois ? demande-t-elle, au bord des larmes.

Une auto passe derrière la porte, des piétons dont

66

les voix sont gaies. Le soleil bas de midi éclaire l'imposte de flammes mouvantes comme une flambée de cheminée. Aminthe se tourne vers l'escalier, se cramponne à la boule de la rampe.

— Pourquoi montes-tu ? l'interroge Marie. Il est bientôt l'heure de manger. Tu ne peux pas rester avec moi ?

Aminthe continue de monter. Marie vide le cendrier et prépare la table du déjeuner. Pompon demeure sur la corniche du carillon où il a bondi après l'arrivée René. Les premières notes du piano dégringolent du plafond. Aminthe joue sans partition la *Polonaise* de Chopin. Ses gros doigts courent avec agilité sur le clavier. Elle joue à l'instinct sans se soucier du tempo, écorche même quelques notes. Elle ferme les yeux, la tête rejetée en arrière.

Marie écoute. Des larmes silencieuses glissent sur ses joues. Un lourd sanglot remonte du plus profond de sa poitrine. Une vague de vertige la submerge. Elle n'est pas encore complètement remise. Pourvu que la dispute avec René ne la fasse pas rechuter ! Elle s'appuie à la table, découvre le plat de riz du dessert, pioche une cuillerée, puis une autre pour se réconforter, sort son mouchoir et s'essuie les paupières, les joues.

Aminthe plaque le dernier accord et la musique s'éteint comme un dernier roulement de tonnerre après l'orage. Marie se déchire une bouchée de pain, la mâchonne en appelant :

— Qu'est-ce que tu fais ? Tu viens manger !

À deux heures et demie, elles s'en vont à l'enterrement. Aminthe est prête la première. Sa mauvaise jambe l'empêche de marcher aussi vite que sa sœur, et puis elle doit être en avance à l'église.

— Tu ne mets rien sur ta tête ? lui demande Marie lorsqu'elle la voit avec son manteau et ses souliers.

Aminthe soupire :

— On ne se met rien sur la tête à l'église aujourd'hui.

— Tu n'es pas très bien coiffée !

Aminthe grogne et s'examine dans la glace au-dessus de l'évier. Elle essaie d'arranger sa coiffure avec le peigne de sa sœur. C'est vrai que ses cheveux se mettent mal. Seule leur extrémité garde le souvenir de son indéfrisable. Elle jette le peigne, de dépit, sur la tablette.

— J'ai pris rendez-vous chez la coiffeuse la semaine prochaine, pour la Toussaint.

Elle s'en va. Marie s'endimanche, sort son sac à main, verse un peu d'eau de Cologne sur son mouchoir. Elle sent son foulard, la manche de son manteau. Elle sort, ferme la porte, glisse la clé dans son sac. On dirait que le ciel se caille. Le soleil peine à percer une écume de nuages. Des coups de vent balaient la rue par intervalles. Marie trotte de son pas vif en regardant ses pieds et rasant les murs. Devant l'immeuble de la gendarmerie, elle lève les yeux vers l'appartement de Pierrot. Le vélo rouge est sur le balcon. Les volets roulants sont à demi

68

baissés. Le bouleversement du quartier a commencé avec la construction de cet immeuble. Ensuite les destructeurs y sont allés de bon cœur. Marie se souvient qu'à la place de la tour de béton occupée par les Télécommunications devant laquelle elle passe, il y avait le magasin du marchand de couleurs, Siloré. Sa vitrine l'attirait toujours lorsqu'elle venait rendre visite à ses grands-parents. Son enseigne de marbre noir était gravée de lettres dorées.

— Grand-père avait planté une treille contre le mur de son atelier, se rappelle-t-elle. Il avait envoyé le pampre par-dessus le mur chez les voisines parce qu'elles aimaient les raisins.

Marie s'arrête au bord du trottoir, hésitant à traverser dans le passage réservé. Les marques de peinture sur la chaussée paraissent huileuses. Une moto passe en grondant. Elle sursaute, pousse son cri, vérifie autour d'elle, le cœur battant, si on l'a entendue. La tête lui tourne. C'est pour cela qu'elle évite désormais de circuler en ville. Le bruit, l'agitation, la fatiguent. Le sol a complètement retrouvé son équilibre lorsqu'elle dépasse la statue de Napoléon et s'empresse sur l'esplanade vers l'église Saint-Louis. Le fourgon des Pompes funèbres stationne déjà devant le parvis. Les moteurs des voitures étouffent la sonnerie du glas.

Marie se fond parmi des vieux qui attendent en chaloupant sur les marches du péristyle.

— Il n'y a pas grand monde..., murmure-t-elle

à la femme qu'elle reconnaît pour une compagne de cartes d'Aminthe.

— Il n'y a jamais grand monde.

Les enfants, les gendres, les petits-enfants du défunt, attendent devant la grande porte en se blottissant les uns contre les autres comme s'ils avaient froid. L'une des filles s'essuie discrètement les yeux avec son mouchoir. Le mort fréquentait le clube et jouait au bridge avec Aminthe depuis qu'il était veuf. Retraité de l'enseignement, il chantait à la chorale le dimanche. Il est venu au déjeuner du clube, trois jours plus tôt, et s'est levé à son tour pour chanter. Il a interprété de sa belle voix de ténor une chanson reprise en chœur par l'assemblée, s'est assis, et s'est effondré, mort. Ses amis ont eu beau crier, appeler les pompiers, rien ne l'a ramené à la vie. Ils suivent son cercueil dans l'église en chuchotant encore sous le coup de l'émotion.

Aminthe au petit orgue du chœur joue les lamentations d'une marche funèbre. Tous les bruits qui s'élèvent, les raclements de chaises, les claquements de portes, les gens qui se mouchent, résonnent lugubrement sous les voûtes. Ils sont tout au plus une centaine à accompagner le défunt pour son dernier voyage. Et Aminthe, du promontoire de son instrument, enrage de ne découvrir que ce maigre troupeau :

— Les gens n'ont plus de reconnaissance aujourd'hui. On laisse les vieux s'enterrer entre eux !

Elle donne la note au prêtre pour le chant d'entrée. Elle a commencé à jouer aux enterrements à son retour de pensionnat à quinze ans. La révérende mère Élie, qui lui enseignait la musique et lui martyrisait les doigts, la contraignait à de difficiles exercices à l'harmonium. Cependant, ces longues heures en compagnie de l'organiste n'en constituent pas moins les plus heureuses de son enfermement. À douze ou quatorze ans, un air de cantique suffit à une adolescente pour s'évader et elle se souvient d'avoir versé des larmes sur un *Salve Regina*.

Elle avait un incontestable don musical et si les circonstances l'avaient permis, si sa mère avait été vivante, elle l'aurait sans doute développé, elle en aurait fait un vrai métier.

Elle accompagne le chant en alternance avec les intentions de prière proposées au micro par deux petits-enfants du défunt. Un vieux couple de retardataires s'insinue sur la pointe des pieds jusqu'au dernier rang de chaises. Aminthe a croisé quelquefois cette femme en manteau couleur prune et cet homme en gabardine qui se tiennent par le bras et ne se lâchent pas.

Quand quelqu'un mourait au Bourg, on courait la prévenir sitôt après le curé et le fossoyeur. Elle parcourait été comme hiver à bicyclette les quatre kilomètres qui la séparaient de l'église. Soixante ans après, elle se rappelle ses premiers morts. Leurs os sont réduits en poussière, mais ils ne sont pas complètement disparus puisque leur catafalque se dresse encore dans sa mémoire. Elle serait même capable de désigner leurs tombes dans le cimetière, même si elles ont été attribuées à d'autres, depuis. Elle avait vingt ans en 1942. Elle a joué aux obsèques de Fabien Ballanger qui lui avait écrit de son camp de prisonniers en Poméranie : « Je ne suis pas très vaillant, mais j'ai bon courage. Les camarades me disent que, grâce à ma maladie, je vais être libéré plus tôt. Je sais qu'à mon arrivée, il y en a qui viendront me retrouver. Et je me sens déjà guéri par leur présence. » Elle s'était vêtue de noir pour son enterrement comme une veuve. Elle revoit les drapeaux frissonnants inclinés autour de l'autel pour la sonnerie « aux morts » et les cris de la mère de Fabien retentissent à nouveau dans l'église.

Elle ne s'est pas aperçue qu'on était déjà à l'*Agneau de Dieu* et le prêtre se retourne vers elle. Il entonne *a cappella* plutôt mal. Elle rejoint le chant en marche, provoque quelques désordres parmi les chanteurs. Le regard de sa sœur pèse sur elle dans l'ombre de son foulard. Aminthe bougonne en déplaçant bruyamment sa partition. Bien sûr, ils vont l'accuser, mais c'est leur faute...

Elle est devenue très vite titulaire de l'orgue de Saint-Louis après leur installation rue Chanzy. Elle a joui d'un long bail d'une vingtaine d'années au clavier de la plus grosse paroisse de la ville où elle a rendu tous les services. Les grandes orgues ont rempli sa vie et elle en a obtenu un certain prestige. Elle a donné quelques récitals de musique sacrée à l'approche des fêtes. Et puis l'arrivée de nouveaux prêtres, il y a six ans, a sonné l'heure de sa disgrâce. Le curé de la paroisse, qui n'y entend rien, puisqu'il chante faux, a soutenu dans cette affaire son grand vicaire, consacré grand maître des cérémonies. Elle a été remerciée. Elle soupçonne cet abbé grisonnant qui porte des jeans comme un jeune homme d'avoir été ensorcelé par sa remplaçante, une fille qui entre à l'église les épaules découvertes, les cheveux blonds dans le cou comme une Marie-Madeleine. Elle a eu exceptionnellement accès aux petites orgues du chœur, aujourd'hui, pour l'enterrement d'un ami du clube.

Le prêtre s'approche du cercueil et s'adresse à la famille pour l'absoute. Aminthe joue le chant final :

Sur le seuil de sa maison Notre Père t'attend...
Elle ferme les yeux. Elle repousse la vision lancinante de deux petites filles en pleurs se tenant par la main. Elles portent les mêmes robes de coton à carreaux boutonnées dans le dos cousues par leur mère. Les mêmes chapeaux noirs à larges bords pèsent sur leurs têtes. Elles n'osent pas lever les yeux. Les regards de toute l'assemblée qui les accuse sont rivés sur elles. L'émotion lui serre la gorge. Elle ne chante plus. La vision s'évanouit comme un fantôme.

Les deux grandes portes de la nef s'ouvrent. La lumière du jour entre dans l'église et, avec elle, le grondement incessant des moteurs. Aminthe rejoint en s'appuyant sur sa canne les fidèles de la sépulture rassemblés sur le parvis. Les feuilles des platanes tombent en pluie sur les automobiles rangées sur la place. Le soir déjà fonce le ciel et drape gaiement les nuages de lumière lilas.

— Quelle belle soirée ! constate Marie qui craignait un retour du mauvais temps.

Sa sœur, qui l'a rejointe et l'entend, hausse les épaules.

Le prêtre a annoncé qu'il n'y aurait pas de condoléances. Alors les plus désireux d'être vus se précipitent sur le passage de la famille. Les deux sœurs descendent prudemment les marches et font front pour traverser ensemble devant les autos.

— Va-t'en ! ordonne Aminthe à Marie, agacée de l'effort de sa sœur pour marcher à son pas lent et lui parler. Ne t'occupe pas de moi !

— Je vais préparer le souper..., s'excuse Marie blessée qui se résout à prendre de l'avance.

La canne impatiente d'Aminthe martèle la place. Marie s'arrête sous la statue de Napoléon pour tousser, tourne le dos, et se frotte les yeux avec son mouchoir.

Dimanche 20 octobre

Marie frissonne en sortant le bras de dessous ses couvertures, lorsque le réveil sonne. Son esprit flotte encore dans un demi-sommeil.

— Pourvu que les chrysanthèmes n'aient pas souffert !

Et puis elle réalise que, même s'il fait froid dehors, il devrait faire bon dedans. Elle se dresse, le plancher tangue un peu, et le lit. Elle laisse passer la vague, s'adresse à Rose, sa mère, en repoussant les couvertures :

— Il se pourrait bien que j'aie laissé le feu s'éteindre !

Elle traîne ses savates de feutre dans la cuisine. Les rondelles de la cuisinière sautent. Le tisonnier fouille dans le foyer.

— Je ne me souviens pas de la dernière fois où ça m'est arrivé. Une cuisinière à feu continu !

Elle cherche en vain l'œil d'une braise.

— Qu'est-ce que tu avais dans la tête hier soir, linotte ! Tu as oublié de fermer la porte du tirage !

Elle revient dans la chambre, enfile son gilet sur sa chemise de nuit.

— C'est bien ce que je craignais, avoue-t-elle à sa mère, nous n'avons plus de feu.

Elle hausse les épaules devant le regard courroucé de son père.

— Vous, bien sûr, vous me le reprochez !

Elle retourne à son feu, en cheveux, les jambes nues hérissées de chair de poule, secoue la grille pour la cendre, déchire le papier journal, monte sur la patte du chat qui miaule.

— Toi, il faut que tu sois dans mes jambes !

Elle craque l'allumette.

— J'espère que le grand gendarme, là-haut, n'est pas réveillé, sinon je vais l'entendre !

La main et le poignet qui portent la flamme vers le papier tremblent. Le feu ronfle. Le chat passe son pelage soyeux contre les jambes gelées. Quand le petit bois est enflammé, elle ajoute une bûche, surveille encore, tousse.

— Tant pis, je me recouche, sinon je ne vais pas me réchauffer !

Elle s'allonge, remonte les couvertures jusque sous le menton, fixe les parents Robin dans leur ovale.

— Pourquoi faut-il que je sois si sensible ? leur demande-t-elle. J'en ai pour la matinée à être contrariée.

Là-haut, le grand gendarme a tout entendu. Aminthe a mis son réveil à sonner à cause de la messe. La douleur dans sa jambe lui tire des grimaces. Il y a quelques semaines, elle connaissait des moments de répit. Aujourd'hui la douleur file, de la hanche au genou, lancinante comme un mal de dents.

— Je vais être obligée d'y aller, sur le billard ! Je repousse l'échéance. Si je veux marcher encore, je devrai accepter la compagnie de l'acier et du plastique.

Elle se remonte dans son lit en s'aidant de ses mains, soupire, allume la télévision. Les chaînes défilent. Elle suit le mouvement des images d'un œil distrait, abandonne la télécommande sur les couvertures.

— Cette sotte a laissé le feu s'éteindre, râle-t-elle, et on gèle !

La chambre d'Aminthe est située au-dessus de la cuisine qui chauffe la chambre à travers le plancher. Le conduit de la cheminée passe derrière sa tête de lit. Cela lui suffit. Par les grands froids, elle branche sa couverture chauffante.

— Ma sœur vieillit. Il ne faudrait pas que ça aille trop vite, sinon elle est bonne pour le Moulin Rouge, et moi avec !

Elle se tourne vers sa commode, remarque la poussière sur le galbe des tiroirs, les traces de doigts sur le verre derrière lequel sont glissées des photographies en désordre. Elle attrape au pied de son lit sa chemise destinée à la lessive puisqu'on est dimanche, tend le bras pour en essuyer la façade de la commode. Des paillettes de poussière dansent dans la lumière de la lampe de chevet. Elle parvient à se saisir du sous-verre avec ses photographies, le frotte énergiquement.

Elle a, en petit, la même photographie de ses parents que sa sœur dans l'ovale et, à côté, celle d'un jeune homme en costume, debout sur les marches d'un café, l'air désinvolte, le chapeau sur la tête, la cigarette à la main. Elle en rapproche une autre, du même, de plus mauvaise qualité, les épaules couvertes d'une charbonneuse veste de soldat. Il ne sourit plus. Ses yeux sont des trous noirs. Elle retourne la photographie. *Stettin 1942. Fabien.* Elle glisse la photo de Fabien soldat à côté de la première. Puis, à la réflexion, la place par-dessus.

— Excuse-moi, mon pauvre ami, murmure-t-elle.

Elle remet le porte-photos sur la commode, rentre le menton dans sa gorge. Son livre est ouvert, renversé sur la descente de lit à la page de sa lecture de la veille. Elle coupe la télé d'un coup de pouce énergique, parcourt quelques lignes. D'en bas, montent des bruits de casseroles. Aminthe laisse défiler sous son doigt les pages qu'il lui reste à lire.

— Bah ! fait-elle en haussant les épaules.

Elle s'assoit en gémissant au bord de son lit, s'appuie au dossier d'une chaise, se saisit de la poignée de l'espagnolette, pousse les volets. La lune luit encore et sa lumière pâle scintille sur la gelée blanche de la cour et du jardin.

— C'est la première gelée de l'année ! s'exclame Aminthe.

Et à sa sœur qu'elle voit traverser la cour :

— Qu'est-ce qui te prend de courir alors qu'il ne fait pas jour ?

— J'ai laissé la porte et le vasistas de la serre ouverts !

— Il est bien temps de t'en occuper, maintenant. Il fallait fermer hier soir !

— Oui, il fallait fermer hier soir ! Pourquoi tu ne l'as pas fait ?

Quand Aminthe entre dans la cuisine pleine de l'agréable odeur de café et de pain grillé, elle provoque tout de suite sa sœur.

— Tu as laissé la cuisinière s'éteindre. Il faisait froid dans ma chambre, ce matin !

— Dans la mienne aussi ! riposte Marie, la voix frémissante, au bord des larmes. Tu crois que je l'ai fait exprès ?

— Je ne dis pas ça..., convient Aminthe avec une feinte douceur.

Sa tête est fleurie de son calicot à cornes comme une doudou caraïbe.

— Alors, ces chrysanthèmes ?

— Ils n'ont rien. Les géraniums non plus.

Aminthe croque une première bouchée et déclare sans pitié :

— Il ne faudrait pas que ces sortes d'absence se renouvellent trop souvent.

Marie, qui suffoque, tire son mouchoir de sa poche en poussant son cri d'oiseau blessé. Elle tousse, essuie ses paupières larmoyantes, et réplique :

— C'est qui qui avait des absences hier à l'église et n'a pas été capable de donner la note au curé ?

Aminthe attendait cette réflexion de sa sœur. Elle ne l'a d'ailleurs provoquée que pour ça. Elle avait en mémoire le regard de reproche de Marie et il fallait qu'entre elles la guerre éclate.

Quand Mme Jeanne-Marie passe un peu avant dix heures, elle perçoit la tension qui dure. Alors elle est très prudente. Elle rit, plaisante.

— Suis-je en retard ? Avec vous, l'heure c'est l'heure !

Elle a rendez-vous tous les dimanches avec les sœurs Robin pour leur apporter les journaux de la semaine. Cela leur évite des dépenses inutiles. C'est la seule lecture de Marie, qui commence par les avis d'obsèques.

Elle s'adresse à Aminthe et lui montre le livre sur la table.

— Comment l'avez-vous trouvé celui-là ?

— Moyen. Il est bien écrit mais il ne raconte pas grand-chose... Il n'y a pas d'histoire. À dire vrai, je n'ai pas lu les dernières pages.

— Je peux vous le laisser jusqu'à la semaine prochaine.

— Non, ça suffit.

Mme Jeanne-Marie tend à Aminthe un autre livre.

— Celui-là, quand on le commence on ne peut

plus s'arrêter. Vous me direz ce que vous en pensez.

Aminthe examine la couverture, serre le livre contre sa poitrine.

— Avez-vous besoin de viande ? demande la visiteuse qui change de conversation et s'adresse surtout à Marie.

Elle se rend compte que Marie ne peut pas parler, sinon elle va pleurer. Alors elle s'empresse de donner elle-même la réponse.

— Je vous apporte deux biftecks. Vous me paierez quand je vous apporterai la viande.

Elle reboutonne son manteau, remonte le col en faux astrakan.

— Le froid pique, ce matin. L'hiver n'est pas en retard.

— C'est du beau temps, parvient à dire Marie.

Avant de refermer la porte sur elle, Mme Jeanne-Marie leur adresse, à l'une et à l'autre, un large sourire.

— Allez vous préparer pour la messe !

Et elle prend son visage d'institutrice aux sourcils froncés comme pour les gronder.

— N'oubliez pas avant d'entrer dans l'église de laisser les rancunes à la porte !

En fait d'église, Aminthe et Marie vont à la messe à la chapelle de Jeanne-d'Arc. Un vieux prêtre y célèbre, le dimanche. Aminthe joue de l'harmonium. Une petite communauté d'une vingtaine d'habitués se retrouve, les femmes parfois accompagnées de leurs petits-enfants.

Pierrot frappe à la fenêtre au début de l'après-midi. Marie l'attendait en lisant le journal. Elle enlève ses lunettes. C'est bien lui, à califourchon sur son petit vélo.

— Mon père m'emmène avec lui chez un copain.

Elle est déçue. Il fait la moue et supplie :

— Est-ce que tu me permets un tour de Moby-lette ?

Marie se retourne vers l'escalier. Elle sait que sa sœur lui reprochera : « Tu as encore laissé entrer ce petit diable ! Il ne vient chez nous que pour profiter du jardin ! » Marie pose l'index sur ses lèvres et montre le plafond avec son doigt. Ils soulèvent la bicyclette pour traverser le corridor. La roue portée par le gamin traîne sur le dallage et laisse une marque blanche. Sitôt le seuil, Pierrot en-fourche sa monture, pédale, bascule dans l'allée en faisant avec sa bouche le bruit du moteur.

— Fais attention à mes plates-bandes ! lui crie-t-elle.

Elle sait qu'en criant ainsi elle informe sa sœur. Mais elle a l'ouïe fine. Elle l'a entendue se dépla-cer là-haut sur le plancher. Elle la devine derrière la fenêtre. Le gamin revient vers Marie, le visage épanoui.

— Est-ce que j'ai bien pédalé ?

— Oui, c'était très bien.

82

Une ombre passe dans les yeux du petit qui lève la tête vers l'étage.

— Elle est là-haut ? chuchote Marie.

Le petit hoche la tête.

— Gare ! dit-elle avec un sourire complice.

Et plus fort :

— Alors, si tu t'en vas, je clouerai le grillage toute seule, et nous irons acheter les pigeons ensemble mercredi.

Pierrot hausse les épaules en avançant et reculant la roue de son vélo jusqu'à la pierre du seuil.

— Si tu veux. Mon père m'a dit qu'il me donnerait de l'argent pour acheter leur grain.

Marie se sent rougir.

— Je ne veux pas de l'argent de ton père ! Il ne manquerait plus que ça ! De quoi il s'occupe, celui-là ? Des pigeons élevés chez moi ! C'est une affaire entre nous deux.

— Alors comment je saurai qu'ils sont aussi à moi, ces pigeons ?

— Puisque je te le dis... Est-ce que tu me fais confiance, Pierrot ?

Elle ajoute :

— Le jour où je partirai, parce que je suis vieille, tu emporteras la cage et les pigeons avec toi.

Pierrot la fixe de ses grands yeux francs.

— Oui, je te fais confiance.

Marie pose le grillage sur leur cage. La tête du cèdre s'agite joyeusement dans une mousse de

rayons de soleil tandis que les ombres bleues traînent déjà sur le jardin.

— La terre est moins bonne depuis qu'ils ont
construit les immeubles. En cette saison, ils empê-
chent le soleil de joindre le jardin. Quand il des-
cendait jusqu'à elle, la terre fleurissait mieux au
printemps.

Cette envolée poétique s'achève sur un pépie-
ment d'oiseau et elle s'adresse au tonnelier en
photo sur le mur de l'atelier.

— Vous, grand-père, vous n'auriez sans doute
pas pris de gants de poète pour vous emporter
contre leurs hauts murs !

Marie a chaussé ses sabots de bois à cause du
froid de la terre battue. Elle s'est de nouveau noué
le gros cache-col de laine sous le menton. L'air vif
rougit le bout de son nez parce qu'elle ne veut pas
travailler renfermée. Ses mains prennent plaisir à
couper le grillage à la pince universelle. Elle a
encore assez de force dans les poignets pour sec-
tionner le fil de fer d'un coup sec.

— Le petit serait là, il clouerait de bon cœur.
C'est un brave. Il est plein de vie. À son âge, est-
ce qu'on garde un enfant prisonnier dans une cage ?
Aminthe le critique et dit qu'il est insupportable
avec sa gardienne. Il a des excuses. Qu'il profite
du jardin. Au moins, mes carrés servent à quelque
chose. Bientôt, je ne serai plus capable de les
cultiver.

Elle découpe des bandes régulières dans un

morceau de cuir qui traîne dans l'atelier depuis l'époque de la tonnellerie, l'ébarbe aux ciseaux.

— Cela tiendra plus longtemps que leurs charnières métalliques qui rouillent et ne résistent qu'un hiver.

Elle entend sa sœur jouer du piano et se réjouit de cette cascade de notes qui étoilent son après-midi. Elle pense qu'elle ne connaît rien à la musique. Elle s'est habituée à la manière de jouer de sa sœur et elle est convaincue qu'elle joue bien. D'ailleurs si Aminthe n'était pas douée, elle ne trouverait pas encore des élèves.

L'achat du piano n'a pas été une petite affaire, il y a vingt-cinq ans. Elles sont allées à Nantes. Aminthe a hésité longtemps. Puis les livreurs sont arrivés avec ce grand meuble noir qu'ils ont dû entrer par la fenêtre.

Marie en soulève le couvercle et effleure le clavier parfois en cachette. Aminthe ne sait pas qu'elle a bricolé à la lime, sur l'étau de l'atelier, en secret, un double de clé de sa chambre. Marie n'était pas peu fière le jour où la serrure a cédé. Elle est entrée comme une voleuse et a découvert le désordre de ses affaires.

Aminthe n'est pas une mauvaise femme. Elle s'est aigrie. Ses blessures de jeunesse sont restées à vif. Elles ont beau être sœurs, Marie et Aminthe ne sont pas taillées dans le même bois. L'aînée a pris du côté de Rose, sa mère. Courber l'échine et obéir est dans sa nature. Ses chagrins sont enfouis profond, et elle n'y revient pas. La cadette, elle, est

Robin, l'orgueil Robin, elle ne capitule jamais. Et elle est malheureuse. Elle était déjà ainsi toute petite. Elle cassait les jouets qui ne se pliaient pas à sa volonté, et enrageait ensuite.

Elle a voulu tenir tête au malheur lorsqu'il est arrivé. Elle ne s'en est pas mieux sortie que Marie qui éprouve de la compassion pour sa sœur, et lui pardonne souvent, envieuse de son sale caractère. Comment faire autrement ? Elle ne peut pas se passer d'elle. Malgré leurs disputes, elles forment un vieux couple, et elles savent que, lorsque l'une partira, l'autre la suivra de près.

Le ciel s'épaissit. Les derniers rais de soleil pâlissent, s'évanouissent en brume. La goutte perle au nez de Marie qui pose son mouchoir sur l'établi, s'essuie, recommence, le nez comme une source. La brume du soir s'accroche aux branches du cèdre qui devient un fantôme d'arbre. Marie s'arrête, se mouche un grand coup.

— Voyez un peu l'allure que prend le temps, ce soir ! Après tout, tant mieux, le brouillard empêchera le gel !

Mercredi 23 octobre

Marie achève de débarrasser la table de leur déjeuner lorsque Pierrot accourt, sans son vélo, accompagné de Mme Aumont.

— Il n'y a pas moyen de le tenir, le petit diable ! s'exclame la gardienne. Il n'aurait pas déjeuné si je ne m'étais pas fâchée !

Mme Aumont est une blonde, à la peau laiteuse. Son jean collant enveloppe ses reins lourds. Elle tient Pierrot fermement par la main, mais le garçon n'a d'yeux que pour Marie à laquelle il sourit. Il tire sur la main qui le retient.

— Surveillez-le, recommande la gardienne. Faites attention à la montée dans le bus !

— Oui, oui, répond Marie avec impatience.

Elle n'apprécie guère ces recommandations. On dirait que cette femme ne la croit pas capable de s'occuper du petit.

Elle lâche enfin Pierrot qui se précipite vers la grand-mère et lui prend la main.

— On va aller acheter les pigeons..., dit-il d'une voix douce.

— Tu peux minauder ! s'exaspère la gardienne, jalouse, car il reste blotti contre Marie. Ça n'excuse pas toutes tes bêtises !

Les doigts de la vieille cherchent le petit visage et y frottent une rude caresse. Le carillon sonne.

— Je vous le laisse, dit la femme qui ouvre la porte. Vous me le ramènerez à cinq heures !

— Après le chocolat ! précise Pierrot.

Aminthe rentre d'une promenade dans la cour et le jardin en s'appuyant sur sa canne. Elle semble d'assez bonne humeur puisqu'elle salue Pierrot d'un : « Bonjour garnement ! » sans acrimonie. Le garçon lui répond en souriant :

— Bonjour, Aminthe !

— Nous allons essayer de trouver des pigeons, explique Marie mise en confiance par la bonne disposition de sa sœur. Veux-tu venir avec nous ?

Aminthe se cramponne à la rampe pour monter dans sa chambre et ne répond pas. Pierrot est coiffé d'une casquette à large visière de style américain. Marie remonte la fermeture éclair de son blouson.

— Tu as mis tes belles baskets blanches !

Et lui :

— Pourquoi es-tu toujours habillée de noir ?

— Parce que j'ai passé l'âge des fantaisies.

Elle soupire, après un temps :

— Oh ! J'ai vu des choses dans ma vie qui m'ont enlevé le goût de la couleur.

— Tu as vu des malheurs ?

— Tu sais ce que c'est, toi, le malheur ?

Elle regarde le petit, et accorde :

88

— Peut-être, sûrement... En tout cas, je ne te souhaite pas de passer par où nous sommes passées, Aminthe et moi, jeunes comme nous l'étions...

Elle ouvre la porte et change de sujet.

— Tu ne me lâches pas !

Ils marchent dans la rue, main dans la main. Le temps hésite. Le soleil joue à saute-mouton parmi le troupeau des nuages. Les murs se réchauffent dès qu'il brille. Les passants ouvrent leurs manteaux. Lorsqu'une nuée le cache, les rues redeviennent grises et froides, et ils se blottissent dans leurs vêtements. La grand-mère et l'enfant rejoignent les colonnes doriques du théâtre et l'abribus.

— Tu es sûr que c'est la ligne du Centre commercial ? s'inquiète Marie.

— Oui, c'est là qu'on vient avec papa.

Elle interroge du regard une dame assise sur le banc devant la publicité. La dame hoche la tête. Marie se plaint.

— Aujourd'hui, il faut courir à l'extérieur dans les grandes surfaces. Pour des vieux comme moi, ce n'est pas facile.

La femme ne répond pas et regarde passer les voitures. Marie hausse les épaules. Le bus arrive. Il est à moitié vide. Pierrot se précipite.

— Laisse monter la dame, elle était là avant nous !

La femme monte. Marie se penche à l'oreille de Pierrot :

— Elle n'est pas polie. Elle ne dit même pas merci.

Pierrot court occuper la banquette libre derrière le chauffeur et fait signe à Marie de se dépêcher. Elle s'installe, son vieux sac à main sur les genoux. Pierrot imite le chauffeur qui tourne le volant, manipule le levier de vitesse, il retire une cigarette imaginaire de ses lèvres et en fait tomber la cendre.

— Si tu cessais de faire le petit fou ? Reste un peu tranquille ! Pense à nos pigeons. Il nous faut un couple capable de nous donner de beaux petits. Si tout d'un coup le marchand n'avait pas de pigeons ?

— Papa m'a dit qu'ils en avaient toujours. Il m'a montré un livre sur les oiseaux.

— Eh bien, alors, si tu les as vus dans un livre, je te fais confiance. J'espère qu'ils ne seront pas trop chers. Ne t'inquiète pas, le rassure-t-elle, j'ai emporté plus qu'il ne faut !

Elle ouvre son sac, tâtonne vers son porte-monnaie. Le bus s'arrête au Point du Jour, la sortie de la ville autrefois. Des passagers montent, un garçon à boucles d'oreilles, une fille avec des écouteurs, la batterie de son baladeur cogne. Pierrot a glissé la main dans le porte-monnaie.

— Combien ? chuchote-t-il.

Elle se penche à son oreille. Il ouvre de grands yeux. Il continue tout bas :

— Il faudra aussi acheter le grain.

— C'est prévu.

Il balance ses jambes sous son siège. Le bus roule parmi les parkings et hangars de la zone commerciale. Marie commence à tousser. La quinte la suffoque. Elle sent qu'elle est la ligne de mire des voyageurs. La poitrine lui fait mal. Elle s'affole, le nez dans le mouchoir.

— S'il m'arrivait quelque chose ! Je suis folle d'être venue toute seule jusque-là avec cet enfant.

Elle ne reconnaît rien dans l'univers de constructions en tôles que le bus traverse. Quelques étoiles dansent devant ses yeux. Elle retrouve son souffle, enfin, quand le bus s'arrête à son terminus. Les passagers descendent en se retournant vers elle, tandis qu'elle essuie ses paupières larmoyantes. Elle garde dans sa main froide la main chaude de l'enfant. Et ils marchent les derniers vers la sortie.

— Ça ira, madame ? demande le chauffeur.

— Ça va, merci.

Le vent balaie la vaste plaine où les autos sont rangées en épi à perte de vue. Marie frissonne et serre le col de son manteau sur sa gorge. Le plafond des nuages s'est abaissé. Le ciel s'est assombri et pèse, couleur de plomb. Cela sent la pluie d'hiver.

— Je n'ai pas emporté mon parapluie, s'excuse Marie, le manteau secoué par un tourbillon, je ne voulais pas nous encombrer...

Elle s'interroge devant l'impressionnante galerie marchande dont elle déchiffre avec peine les enseignes aux caractères et aux noms étranges. Pierrot la tire vers la porte E.

— L'animalerie est par là.

Ils entrent dans la galerie.

— Là, au moins, nous sommes à l'abri, reconnaît Marie, le progrès a du bon.

Un flot de gens montent et descendent, affairés, le grand déambulatoire de la galerie. Quelques-uns se sont assis sur les bancs et regardent passer avec indifférence la grand-mère au foulard noir et le petit garçon à la casquette de base-ball. Pierrot montre du doigt un mur de téléviseurs où des images différentes se côtoient, s'agitent, comme des bulles de mondes flottants.

— Oui, tu es de cette époque, murmure-t-elle. Moi, c'est comme si je tombais de la lune.

Elle devient soudain impatiente. Tous ces magasins la fatiguent. Elle regarde s'amonceler les nuages noirs derrière la verrière de la galerie.

— Tu es sûr que tu ne t'es pas trompé ? Où est-elle, cette animalerie ?

— Là.

Deux aquariums géants remplissent la vitrine. Un vendeur, en chemise blanche, s'efforce d'attraper des poissons gros comme l'ongle avec une épuisette.

— Des guppys ! s'exclame Pierrot. J'en ai dans mon aquarium, chez moi !

— Tu as tout, toi, fait Marie en appuyant la main sur son épaule.

— Non, je n'ai pas tout ! Mais quand j'irai en Guadeloupe avec ma mère, elle m'achètera un masque et des bouteilles. Je plongerai, et je verrai les poissons sous la mer.

92

Un éclat de métal durcit son regard. Il défie Marie de lui dire le contraire.

— Tu serais capable de nager sous la mer ? objecte-t-elle prudemment. Tu n'aurais pas peur d'étouffer ?

— Pas avec des palmes ! J'ai vu des plongeurs caresser les poissons, à la télé. Papa m'a dit que maman nageait comme un poisson, comme moi !

Il tend un doigt vers elle avec la cruauté de la franchise des enfants.

— Je parie que tu ne sais pas nager !

— Bien sûr que je ne sais pas ! Ma mère et ma grand-mère criaient dès qu'elles nous voyaient nous approcher de l'eau !

Ils franchissent le seuil du magasin. Une odeur rebutante de litières et de désinfectant traîne parmi les rayons et Marie grimace.

— Ça ne pue pas, prétend Pierrot en se pinçant cependant le nez, c'est l'odeur naturelle des animaux.

— Je ne vois pas la différence...

Des chiots, des chats, somnolent sous des néons. Des rats et des souris se poursuivent dans des labyrinthes.

— Ça sent l'hôpital. Ils ont tous l'air drogués. Ils ne sont pas heureux, Pierrot. Regarde leurs yeux. Où sont les oiseaux ? Nous voudrions voir les pigeons, monsieur...

— C'est la question piège, bredouille un jeune vendeur en chemise blanche, je ne suis pas sûr qu'on en ait.

93

Il interroge un collègue et les accompagne jusqu'à une cage.

— C'est notre seul couple. Les gens ne nous demandent pas de pigeons.

Les deux bisets somnolent l'un près de l'autre sur le sable de leur cage, les paupières aux trois quarts fermées, si ramassés en boule de plumes grises que la collerette rousse de leur gorge paraît à peine. Pierrot pianote sur la grille. Un pigeon lève le bec, allonge un cou étonné, s'ébroue, réveille son compagnon qui se rengorge, saute sur le perchoir, et se met aussitôt à chanter :

— Ou-roû-coû.

— C'est exactement ce qu'il nous faut ! s'exclame Pierrot enthousiaste.

— Il n'y en a que deux, mais ils sont beaux.

Les pigeons déploient leurs ailes et découvrent leurs larges rayures noires. Marie appelle le vendeur.

— Nous les prenons.

Pierrot porte la boîte en carton des oiseaux serrée contre sa poitrine, Marie le sac de graines. Ils passent devant l'enseigne lumineuse de la brasserie de la galerie marchande.

— As-tu soif ?

Pierrot est surpris et n'est pas sûr d'avoir compris.

— Veux-tu que nous allions boire quelque chose ? précise-t-elle en montrant la brasserie.

Il veut bien et sourit en hochant la tête.

— Je ne me souviens pas de la dernière fois où

je me suis assise dans un café. Autrefois, les hommes s'y retrouvaient tous les dimanches après la messe. Mais c'était interdit aux femmes.

Ils hésitent à s'asseoir aux tables disposées au bord de l'allée, et puis choisissent d'aller se cacher au fond près d'un paravent fleuri de géraniums-lierres.

— Au lieu de boire ton chocolat au lait à la maison, chuchote Marie étonnée elle-même de son audace, tu vas le prendre là. Il ne sera peut-être pas meilleur, suppose-t-elle en effleurant la table pour vérifier sa propreté. Tu ne le diras pas à Aminthe ?

— Non, promet Pierrot avec un sourire complice.

— Un grand chocolat au lait pour le petit, et un café avec du lait pour moi, commande-t-elle au garçon.

Son porte-monnaie est déjà dans sa main pour payer. Pierrot bouge sur la moleskine de la banquette.

— Qu'est-ce que tu as ? Il y a quelque chose qui ne va pas ?

Il allonge une moue timide et malicieuse.

— Je boirais plutôt un sirop de grenadine avec de la limonade...

— Eh bien, va pour le sirop de grenadine ! Vous avez ça ? demande-t-elle au serveur en petit gilet noir et nœud papillon lie-de-vin.

Elle tend le doigt vers Pierrot et insiste :

— Surtout, ne rapporte pas ça à Aminthe, elle m'étriperait !

Elle se retourne alors vers le garçon qui s'éloigne.

— Tout compte fait, vous me mettrez la même chose qu'au petit !

Ils ont posé la boîte des oiseaux devant eux sur la table. Pierrot soulève à peine le couvercle. Les pigeons dressent la tête dans la lucarne de lumière. Leurs pattes griffent le carton.

— Fais attention ! Il ne faudrait pas qu'ils s'échappent. Regarde s'ils ont de beaux yeux ! Nous les enfermerons pendant quelques jours, le temps qu'ils s'habituent. Nous leur ouvrirons après et les laisserons s'envoler.

— Tu es sûre qu'ils reviendront ?

— Oui, j'en suis sûre. Les pigeons, c'est fait pour voler. Tu verras comme ils seront heureux de s'envoler dans les branches du cèdre. Tu les entendras roucouler de chez toi. Tu les verras passer devant la gendarmerie.

— Je leur mettrai du grain et ils viendront manger sur mon balcon.

Marie goûte le breuvage rouge avec méfiance, et puis reconnaît :

— C'est bon, ta grenadine.

Elle promène un regard satisfait sur le bar, la pompe à bière en cuivre. La musique en sourdine résonne comme un écho de fête. Pierrot a déjà englouti son verre et observe la grand-mère avec un petit sourire content.

— Tu as des moustaches rouges ! lui dit-elle.

Elle sort un mouchoir propre de son sac, essuie

96

la bouche, le nez de Pierrot et lui montre le linge rougi.

— Veux-tu qu'on boive maintenant le chocolat et le café ?

Elle parle tout bas parce qu'elle a l'impression de faire quelque chose de défendu. Ses yeux bleus brillent. Les rides autour de ses paupières sont comme des rayons d'étoile. Elle encourage l'enfant à accepter et c'est lui qui objecte :

— Tu vas dépenser tout ton argent !

— Qu'est-ce que deviendra mon argent si je suis morte ou s'ils m'enferment dans leur hospice !

Elle appelle le serveur qui essuie des verres derrière son bar.

— Apportez-nous le chocolat et le café que nous vous avons commandés tout à l'heure, s'il vous plaît !

Mardi 29 octobre

L'eau jase dans la gouttière quand Marie s'éveille. Et elle pense : C'est peut-être la punition que j'ai méritée.

Elle allume, prend à témoin le regard résigné de sa mère qui, comme elle, ne semble avoir attendu de la vie que des mauvais coups. Elle se palpe le ventre.

— J'ai l'impression d'avoir encore sur l'estomac le café chaud sur la grenadine froide, que j'ai pris avec le petit !

Elle tend la main vers Pompon, lui caresse la gorge, les moustaches, la tête. Pompon ronronne. Elle se lève, repousse les volets, referme vite. Il fait plus mauvais encore qu'elle ne le pensait. Le vent ébranle le cèdre, secoue ses rames, balance des gouttes de pluie froide. Elle se précipite dans la cuisine, les tresses en bataille, enlève les rondelles du fourneau et le bourre de bois, guette le ronflement du feu. Un coup de vent violent fait gémir la gouttière.

Aminthe rentre en madras et robe de chambre,

presque aussi matinale que sa sœur. Ses yeux sont rouges, sa peau marquée par des plis d'oreiller.

— Tu as vu le temps ! grogne-t-elle.

— Qu'est-ce qu'on fait ? On y va quand même ?

— Si on y va après la Toussaint, ce n'est pas la peine !

— Le vent et la pluie ne te gêneront pas pour conduire ?

Aminthe hausse les épaules. Le nez à la fenêtre, elle écoute le grondement océanique du vent dans le cèdre et observe les déferlements de la tourmente.

— C'est bien notre chance, grommelle-t-elle, on ne sort jamais. Et le jour où on veut sortir...

Elle soupire.

— Enfin, le temps va peut-être s'arranger. Le pire n'est jamais sûr !

Elle s'assoit à la table du petit déjeuner, prépare dans un verre les gouttes de médicament qu'elle absorbe avec une grimace. Marie lui apporte le café.

— Et le chocolat ? réclame Aminthe. Je vais conduire aujourd'hui. J'ai droit à un carré de chocolat.

— Et le diabète ? la blâme Marie. Tu trouves toujours de bons prétextes pour des écarts de régime.

Mais elle apporte la tablette sur la table, les lèvres pincées. Aminthe casse un carré, puis deux, et finalement enfouit le reste au fond de sa poche.

— Je vais aller chercher de l'essence.

— Veux-tu que je t'accompagne ?

— Je peux me débrouiller toute seule.

Quand elles sont habillées, elles s'empressent à travers la cour jusqu'au garage, serrées sous le même parapluie. Elles s'y prennent à deux pour déployer le vieux portail à panneaux de bois qui pique du nez et racle le ciment. Le grand-père tonnelier rentrait autrefois sa voiture à cheval dans ce garage. Les bornes de granit des bouteroues en témoignent. Marie s'empresse avec son balai et sa pelle à poussière à l'emplacement du portail qui n'a pas été ouvert depuis plusieurs semaines. Le vent tourbillonne dans l'ouverture et fouette des gouttes jusqu'au mur du fond.

Elles plient la couverture déployée sur le toit et le capot de l'automobile et découvrent la 4L verte blanchie par l'âge. Aminthe ouvre la portière du conducteur.

— Pourvu qu'elle démarre !

Elle se recule lentement vers le siège, s'appuie au longeron de la portière, laisse tomber son lourd derrière. Les amortisseurs gémissent. Cramponnée au rebord du toit et au volant, elle rentre enfin les jambes. Marie lui tend sa canne.

— Alors..., dit Aminthe en introduisant la clé de contact, voici l'heure de vérité.

Le moteur tousse à la seconde sollicitation, démarre à faible régime, s'enflamme sous la pression du pied d'Aminthe qui écrase l'accélérateur, tourne enfin à un rythme régulier. Elle ouvre la vitre et crie à travers les gaz d'échappement et les gouttes de pluie, par-dessus les rugissements de la machine qu'elle emballe :

— Je vais faire le plein !

La 4L fait un bond jusqu'à la porte du garage. Aminthe met en marche les essuie-glaces. Le véhicule avance jusqu'au bord du trottoir, oblique en vrombissant dès que la voie est libre. Aminthe a passé son permis quarante ans plus tôt quand une femme au volant prêtait encore à rire. Les deux sœurs ont acheté une 4 CV Renault avant de déménager rue Chanzy et se sont beaucoup déplacées parce que l'automobile les arrachait à l'horizon de la Limouzinière. La 4 CV a tout naturellement été remplacée par la 4L qu'elles ne sortent plus guère sauf pour aller au cimetière, parfois chez René, leur frère, mais c'est devenu rare. Et puis les petites stations-service ont disparu et Aminthe a peur d'aller se servir toute seule, elle ne sait pas faire. Elle s'en va sur la route de Nantes à la dernière station où l'on continue de servir l'essence. Quand celle-ci fermera, elle cessera sans doute de conduire.

Marie prépare ses pots de chrysanthèmes dans la serre : deux pour la tombe de ses parents au Bourg, un pour les grands-parents tonneliers à La Roche, un pour les grands-parents Robin à Sainte-Flaive-des-Loups, et le dernier pour ce cousin germain célibataire, oublié de tous à La Chapelle-Achard, qu'elles ont l'habitude de visiter à la Toussaint. Les chrysanthèmes ont profité de ces beaux jours de soleil dans la serre et Marie en est fière. Ses pots soutiennent la comparaison avec ceux des marchands. Elle les charge un par un dans la brouette et les roule sous la pluie jusqu'au garage. Les têtes vieil or ou grenat s'inclinent lourdes d'eau.

— Il ne faudrait pas que le mauvais temps les casse avant la fête. Après, bah ! les chrysanthèmes sont destinés à périr sur les tombes.

Les pigeons dans leur cage se blottissent l'un contre l'autre sur leur perchoir. Le vent hérisse leurs plumes. Ils regardent Marie l'œil terni.

— Vous êtes des oiseaux des villes, habitués à vivre enfermés. Vous allez découvrir comme le grand air est tellement mieux ! Mais vous avez tout à apprendre. Ne restez pas comme deux malheureux. Ce n'est pas pour quelques gouttes de pluie. Est-ce que je ne suis pas mouillée, moi aussi ? Et mangez, vous n'avez pas touché à votre gamelle.

Elle s'essuie la figure où la pluie ruisselle avec son fichu mouillé avant d'entrer à la maison. En attendant sa sœur, elle s'active, parce qu'elle ne supporte pas de partir en laissant du désordre. Elle sort la toile émeri et fourbit la cuisinière qui brille comme un miroir. Elle trotte en poussant une succession de petits cris joyeux sans retenue puisqu'elle est toute seule. Elle respire. Il lui semble qu'elle a retrouvé sa pleine santé.

Sa sœur revient ; gare la voiture devant la porte du garage. Elles chargent les fleurs dans le coffre en se disputant parce qu'Aminthe, qui ne peut que surveiller le chargement à l'abri sous le hayon du coffre, a voulu rapprocher les pots et a froissé des boutons. Elles mangent en silence des restes de la veille, debout comme des soldats à l'aube d'une bataille. D'habitude, elles écoutent les informations sur le transistor de Marie, mais aujourd'hui elles n'ont pas l'esprit à ça.

Aminthe est remontée dans ses appartements. Elle enfile un pantalon pied-de-poule en gros lainage, chausse ses souliers de marche à semelle épaisse. Elle s'arrête devant le miroir de sa salle de bains, grimace au spectacle de ses mèches revêches qu'elle s'efforce d'arranger avec ses doigts.

— Dès qu'il pleut, ils deviennent pires !

Elle glisse son grand peigne en corne dans son sac, un foulard de soie, la capuche de plastique à décor léopard. Elle n'est pas frileuse comme Marie. La graisse lui tient chaud. Elle le sait. Son chemisier est déboutonné sur sa poitrine. Elle ne met pas de gilet sous son manteau-redingote. Elle en prend un tout de même sur son bras, verse le contenu d'une bonbonnière dans son sac, hésite, revient et se décide à vaporiser sous ses bajoues un peu de parfum du flacon gris de poussière.

En bas, Marie se dépouille de son tablier, vérifie pour la troisième fois la trappe du feu continu à la cuisinière. Elle trottine aux toilettes au bout du corridor en murmurant :

— Mon Dieu !

Sa sœur l'attend au pied de l'escalier, appuyée à la boule de la rampe.

— Tu y es déjà allée tout à l'heure !

Elle lui répond par la porte entrouverte :

— Je n'ai pas envie d'être obligée d'y aller en route avec le temps qu'il fait !

Elle revient en s'excusant :

— Tu avais raison, c'est vrai, mais de partir comme ça, moi...

Aminthe lui demande :

— Tu as bien pris ta poire de Ventoline ?

— Oui.

Marie vérifie une dernière fois le contenu de son sac, y fourre le paquet de galettes bretonnes acheté en prévision à la croissanterie de la galerie. La porte de sa chambre est fermée. La coupe de pommes et de poires repose au milieu de la table. La tasse de lait du chat est pleine. Lui se lèche là-haut sur la corniche du carillon qui va bientôt sonner deux heures et demie.

— C'est vrai qu'on n'est parties que pour l'après-midi.

— On ne le dirait pas ! soupire Aminthe, impatiente.

— Va devant. Je ferme à clé.

Elles s'arrêtent d'abord au cimetière de La Roche, tout proche. Aminthe reste dans la voiture. Marie porte son chrysanthème sans tarder. Le vent a pour l'instant chassé la pluie. Elles reviendront sur la tombe des grands-parents le jour de la Toussaint.

Elles filent au Bourg dans la proche banlieue de la ville. Par chance, le chariot pour transporter les chrysanthèmes est disponible. Du monde s'affaire pourtant à parer les tombes, et le fleuriste a étalé ses pots de chaque côté du portail. Elles saluent un couple de camarades de classe qui grattent les cailloux autour d'une croix. Elles chargent de pierres leurs pots pour qu'ils résistent au vent quand on les interpelle dans leur dos.

— Alors, les sœurs Robin, on ne vous voit plus souvent au pays !

C'est l'ancien boulanger du Bourg, Maurice Billaud, qui ôte sa casquette et découvre son crâne chauve. De l'âge de Marie, il a fréquenté la classe des petits avec les sœurs Robin, on ne parlait pas alors d'école maternelle. Déjà ses diableries le distinguaient des autres élèves. Marie allait chercher le pain à sa boulangerie, le dimanche, après la messe. Depuis qu'il a pris sa retraite, l'année du décès de sa femme, il retrouve Louise Brousil, leur camarade, veuve de leur ami Maximin emporté par une maladie de cœur.

— Vous ne vieillissez pas, plaisante-t-il avec galanterie. Heureusement que nous avons encore les cimetières pour nous rencontrer. Je remets en état la tombe de ma pauvre femme. Tu te souviens, Aminthe, tu as chanté son enterrement, comme celui de pas mal de ceux qui sont allongés là.

— Je ferai l'effort de chanter ton requiem aussi, si ça m'est demandé gentiment...

— Eh ! doucement ! Laisse-moi encore un peu de temps !

— Tu vieillis, Maurice, même si tu te débats pour rester encore jeune !

Il toise Aminthe, ses sourcils toujours noirs hauts sur son front ridé.

— Chacun résiste avec les armes qu'il peut. J'ai été attaché à mon pétrin six jours sur sept pendant toute ma vie. Ma pauvre boulangère qui est couchée ici pourrait en témoigner, nous n'avons pas eu beaucoup d'occasions de prendre du bon temps. Elle est partie au moment où nous aurions pu nous faire plaisir...

Il soupire, s'adoucit.

— Chacun a ses misères. Peut-être que, si la vie l'avait voulu, vous aussi auriez entrepris les choses autrement ?

— Mais la vie ne l'a pas voulu, répond Marie.

Il hoche la tête. Il connaît l'histoire des sœurs Robin.

— Mes pauvres..., compatit-il.

Le vent qui tourbillonne brasse les cotillons de Marie, ébouriffe Aminthe, soulève la casquette de Maurice qui la réajuste. Ils parlent du temps, de leur santé, des petits-enfants Robin qu'il aperçoit de temps en temps au Bourg.

— Oh ! je ne suis pas sûre que nos neveux sachent tous qu'on existe, déclare amèrement Aminthe. Ils ne font même pas semblant de s'intéresser à nous pour l'héritage.

— Je sais, reconnaît Maurice informé de la brouille avec leur frère. Vous l'avez trop gâté, votre petit René. Il n'y avait que lui qui comptait...

Vous rappelez-vous d'un certain Roger Delaire qui a été commis chez moi ?

Les deux sœurs fouillent dans le fatras des souvenirs.

— Je n'ai jamais eu d'ouvrier plus brave, ni plus travailleur. Il était timide. C'était juste après la guerre. Il t'avait remarquée, Marie. Il te guettait le dimanche quand tu venais chercher le pain. Il s'arrangeait pour rouler la panière de pain frais lorsque tu entrais. Il disait toujours, je l'entends encore : « Marie, elle a les yeux bleus... bleus comme la mer ! »

Marie secoue la tête. Les bavardages de Maurice Billaud sont toujours à recevoir avec prudence.

— Tu dis des bêtises. Je ne me souviens pas de ton commis.

— Il est resté chez moi pendant cinq ans. Il n'était pas mal. Il montait dans le magasin en gilet de corps. Tu ne t'en souviens pas, parce que tu ne le voyais pas. Il a fini par se lasser de rouler la panière. Il a épousé une fille de La Chaize. Ils ont tenu une boulangerie là-bas. Il avait une moto.

— Ah ! c'est celui qui avait une moto.

Marie, alors, ne voit plus rien, n'entend plus rien, elle n'est plus dans ce cimetière balayé par le vent froid. Elle cherche à se rappeler le visage du commis à la moto. Roger Delaire, tout d'un coup ce nom lui semble très beau. Elle le répète : Roger Delaire, mais elle ne se souvient pas de lui. Elle se rappelle très bien la boulangerie, les deux marches pour y descendre. Elle a le souvenir de la bonne odeur de pain chaud. Elle voit même la panière sur roulettes pour transporter les miches dans le magasin, à la rigueur même les épaules d'un commis en gilet de corps qui la pousse, mais celles de Roger Delaire, non. Est-il possible, si Maurice Billaud dit vrai, qu'elle soit passée à côté de lui et de son destin sans s'en apercevoir ? Elle en pleurerait.

Elle agit sans savoir ce qu'elle fait. Elle verse encore des cailloux sur ses pots de chrysanthèmes pour les alourdir. Elle entend Aminthe lui crier :

— Dépêche-toi, il va pleuvoir !

Elle lève le nez. Une grosse nuée noire passe en effet sur le cimetière. Quelques gouttes se mettent à piquer, et la réveillent. Elle dit à sa sœur :

— Pars devant, Aminthe ! J'arrive.

Aminthe se signe devant la tombe de ses parents et boite vers la sortie. Maurice porte le doigt à sa casquette.

— Soignez-vous bien, les frangines. Arrêtez-vous un de ces jours. Louise serait contente de vous voir !

Les gouttes tombent plus épaisses. Marie regarde Maurice s'éloigner, le cœur serré.

— Roger Delaire ! Mon Dieu ! Tu as toujours tout raté dans ta vie !

Il pleut maintenant pour de bon. Les essuie-glaces s'affairent rageusement sur le pare-brise. La laine du manteau de Marie exhale une désagréable odeur de chat mouillé.

— Il est trois heures et demie, soupire Aminthe en regardant sa montre, et changeant de vitesse, on va avoir tout juste le temps d'aller à Sainte-Flaive-des-Loups.

Marie calcule la durée des étapes. Elles ne seront en effet pas de retour avant la nuit. Pourvu qu'Aminthe accepte le détour sur la tombe du cousin à La Chapelle.

Elle n'aime pas conduire la nuit. Elle évalue mal les distances, roule au pas, et on la klaxonne. Cela arrive déjà en plein jour d'ailleurs. Elles arrivent au nouveau giratoire du périphérique de la ville. Avant les voitures filaient et rejoignaient les faubourgs par les boulevards. Maintenant la nouvelle route effectue un large détour par la droite pour rattraper la nationale des Sables-d'Olonne qu'elles doivent emprunter. Mais les embranchements se succèdent autour du giratoire. Aminthe ne sait où donner de la tête. Marie lui crie en montrant le panneau :

— Les Sables !

— Oui ! répond Aminthe, qui donne le coup de volant, trop tard. Ce n'est pas grave, s'excuse-t-elle. On va refaire le tour.

Une voiture noire qui veut doubler se colle derrière elle, s'impatiente, klaxonne. Elle est remplie de jeunes rigolards qui passent en lui faisant des gestes. Une autre voiture surgit. Aminthe, crispée sur son volant, le dos décollé du siège, choisit brusquement la première route à droite.

— Ce n'est pas la route des Sables !

— Qu'est-ce que tu en sais, toi ?

Elles roulent cinq cents mètres.

— La route des Sables était après, tu as pris la route de La Ferrière !

Aminthe reconnaît le village de Noiron, le pont sur la voie ferrée. Sa sœur a raison. Elles sont parties dans la direction opposée ! Elle avise un espace goudronné, s'arrête.

— Qu'est-ce qu'on fait ?

La pluie redouble. Les essuie-glaces frottent péniblement avec le moteur au ralenti. Les vitres se couvrent de buée. Marie sort le chiffon de la boîte à gants. Aminthe cherche à voir dans le rétroviseur, mais la vitre arrière est complètement embuée.

— Je ne peux pas faire un demi-tour, c'est trop dangereux ici. On va aller tourner plus loin et on reviendra.

Marie remarque que des perles de sueur mouillent le bord des lèvres et les tempes de sa sœur. La chaleur n'est pourtant pas grande. Elle aurait même plutôt froid.

— Qu'est-ce que tu regardes ? lui demande Aminthe.

— Rien...

Elle lui arrache le chiffon des mains, essuie les vitres de sa portière. Le moteur rugit lorsqu'elles quittent le stationnement, les essuie-glaces s'emballent. Elles ne se disent rien jusqu'à l'entrée du bourg de La Ferrière.

— Si, au lieu de reprendre la même route, nous revenions par La Chaize ? propose Aminthe. Nous ne sommes pas passées par là depuis que nous allions à la pêche dans les étangs des Gaborit...

Marie n'est pas dupe de l'air désinvolte de sa sœur. Elle la laisse parler, mais surveille à travers la pluie tous les croisements, les panneaux, les maisons blanches des lotissements qui ont poussé comme des champignons. Elle l'écoute à peine. Elle voit le bois de châtaigniers sur le bord de la route retourner déjà à la nuit. Les ombres grises de troupeaux mouillés de pluie s'abritent sous les branches. Les nuages défilent sans cesse comme les vagues sur la mer. Elle remonte discrètement sa manche pour vérifier l'heure à sa montre. Le miaulement du moteur des essuie-glaces la fatigue et l'énerve.

Elles traversent La Chaize transie sous la pluie. Elles longent la vitrine du commis boulanger à la moto, et Marie, malgré elle, se retourne. Quelques autos sont arrêtées devant la porte du cimetière et des gens circulent avec des parapluies. La 4L se dirige enfin dans la bonne direction, vers l'ouest, d'où viennent les nuages. Aminthe, rassérénée, roule à sa vitesse de croisière, calée confortablement contre le dossier du siège. Mielleuse, elle demande à sa sœur :

— Prendrais-tu mon sac à l'arrière, et me donnerais-tu une dragée ? J'en ai pas mal à traîner au fond de mon sac.

— Veux-tu une galette bretonne ? lui propose Marie.

— Pas maintenant.

Marie trouve les dragées.

— Tu peux en prendre une pour toi, l'invite Aminthe.

Les deux sœurs sucent et croquent lorsqu'elles rejoignent le Bourg. La boucle de leur détour s'achève. Trois quarts d'heure ont passé. Normalement, elles devraient être arrivées à Sainte-Flaive.

Malheureusement pour elles, les gros travaux du périphérique sud de la ville ont commencé. Un feu les immobilise dans une file d'attente. Deux pelleteuses énormes piochent la terre du bas-côté et la déversent dans des camions. Un seul couloir de circulation traverse le Bourg. Leur file est déviée sur une petite route à gauche. Aminthe pianote nerveusement sur son volant en avançant dans la file des véhicules bloqués.

— Ils vont nous envoyer par La Poissonnière et Belle-Place.

Elles connaissent les lieux. Leur enfance, leur jeunesse les ont constamment promenées là. Au calvaire, elles croisent la route de la Limouzinière qui plonge après le tournant.

La buée a de nouveau envahi l'habitacle. Marie essuie avec le chiffon. Mais à Belle-Place, les travaux du périphérique sont plus avancés. Le schiste roux est déchiré par une profonde saignée. Des engins aux roues plus hautes que la 4L roulent à vive allure sur un chemin parallèle. Deux bulldozers dont le tuyau crache une fumée noire ouvrent des voies en étoile.

— Par où va-t-on passer ? demande Aminthe inquiète.

Marie montre la construction qui s'élève devant elles et vers laquelle se dirigent les voitures à la queue leu leu. C'est un toboggan provisoire monté sur pilotis, flanqué de rambardes de bois. Aminthe ouvre sa vitre. Des gouttes de pluie volent dans la voiture et le clac-clac des pneus roulant sur le toboggan résonne entre les parois.

— Non ! s'écrie-t-elle, écarlate.

Elle est claustrophobe. Ces hautes rambardes assombries par la pluie l'effraient. Elle refuse d'entrer dans ce couloir et met son clignotant.

— Qu'est-ce que tu fais ? Où vas-tu ? lui demande Marie.

Il est trop tard pour changer d'avis. On les double sur la droite. La circulation, en face, s'interrompt pour les laisser passer. Il y a sur la gauche le chemin d'un village qu'elles connaissent.

— De là, on rejoindra Nesmy puis Sainte-Flaive par les petites routes. Ils nous cassent les pieds avec leurs chantiers !

— Tu les connais, ces petites routes ? ose Marie. On n'a pas de carte.

— On ne va pas se perdre chez nous !

Aminthe qui se détend maintenant lève le pied. La 4L roule lentement.

— Donne-moi une dragée !

— Encore ! soupire Marie.

Le coup d'œil d'Aminthe l'oblige à se plier. La pluie tombe à présent moins fort. Le ciel est cependant pris de partout. On ne distingue plus de nuages. Le vent paraît se calmer. Et dans les champs, le long des haies, la nuit s'installe. Marie pense : on ferait mieux de rentrer ; on n'a pas le temps d'aller jusqu'à Sainte-Flaive-des-Loups. Elle regarde une nouvelle fois sa montre, pousse un gémissement.

— Qu'est-ce qu'il y a ? grogne Aminthe.

— Rien.

Elles sont sur la route de Nesmy toute en tournants, croisent des voitures aux phares allumés.

— Elles allument de bonne heure ! grommelle Aminthe.

Elle allume les siens. Les lampadaires de Nesmy éclairent aussi. Elles vont au centre du bourg. Les panneaux indiquent des noms connus. Elles savent que Sainte-Flaive se situe sur la droite. Mais, après les dernières maisons, la route oblique sensiblement à gauche. Elles rejoignent un nouveau croisement, choisissent d'un commun accord encore à droite pour rectifier la direction. La route tourne aussitôt à gauche, comme si un mauvais sort s'acharnait sur elles.

— Tu sais où on est ? interroge prudemment Marie.

— On n'est pas perdues !

Le bocage est désormais plus vallonné. La 4L dégringole dans de longues descentes et peine dans des montées tournantes interminables. Les hameaux sont rares. On commence à ne plus y voir. Aminthe, cramponnée à son volant et devenue muette, rapproche son visage du pare-brise. La bruine fouette le halo jaune des phares et, quand un véhicule arrive en face, la conductrice serre sur l'accotement, presque à l'arrêt. Marie essuie inlassablement la buée.

— Arrête ! Ça va ! lui crie Aminthe.

Marie se rencogne. Un violent coup de vent débouché d'une barrière déporte la voiture. Enfin les maisons neuves d'un lotissement signalent la proximité d'un village. Les phares éclairent le panneau d'entrée : Le Champ-Saint-Père. Marie s'exclame, atterrée :

— Mais on est arrivées dans le marais !

— Dans le marais ? Tu es folle ! Souviens-toi de tes leçons de géographie. On n'est pas si loin que ça. On devrait trouver une route en direction des Sables ! Tu vas les déposer tes chrysanthèmes, plus tard que prévu, mais ils iront sur la tombe des grands-parents.

Les vitrines de la boucherie, des cafés, jettent sur la chaussée des flaques de lumière rassurante. Une femme sort de la cour de l'école sa fillette blottie sous son parapluie. Un panneau indique bien la direction des Sables dans le centre-bourg.

— Tu vois ! triomphe Aminthe. Tu as toujours peur !

Marie pense que c'est vrai. Sans trop savoir pourquoi elle songe à Roger Delaire. Les dernières lumières du bourg s'éteignent derrière elles. La route dévale à nouveau.

— Il va falloir que tu t'arrêtes, dit Marie. Je ne tiens plus.

— Tu ne peux pas attendre ? ronchonne Aminthe. On va encore prendre du retard.

— Non, je ne peux pas attendre.

À qui la faute, pense Marie, si on a pris du retard ? Aminthe repère un chemin, met son clignotant, s'engage, s'arrête en laissant tourner le moteur.

— Tu n'y vas pas ?

— Non.

— Tu laisses les phares ?

— Tu veux marcher dans la boue ?

Ce qui pouvait passer pour de la bruine à l'abri de la voiture est bien de la pluie. Marie hésite.

— Ce n'est pas la peine d'aller te cacher bien loin ! lance Aminthe.

Le vent, la pluie, suffoquent Marie, qui se sent la poitrine oppressée. Il ne faudrait pas que ça me ramène l'asthme ! Elle se retient de tousser. La nuit est complètement noire. Peut-être stationnent-elles auprès d'un champ de maïs moissonné. Les phares d'une voiture s'approchent. Marie s'empresse de rentrer.

— Que cette pluie est froide !

Elle est soulagée. C'était ce besoin qui l'oppressait et la rendait soucieuse. Aminthe recule.

— On ferait mieux de ne pas nous arrêter à Sainte-Flaive, suggère Marie. Il sera encore temps de porter les chrysanthèmes demain.

— On verra.

Marie reconnaît l'odeur de sucre. Aminthe en a profité pour chaparder une dragée pendant son absence.

— Tu en as encore pris une autre !

Aminthe ralentit. Elles approchent de la route nationale. Les voitures filent à toute allure sur la longue ligne droite. Un camion frôle en rugissant le nez de la 4L et l'ébranle. Le trafic est presque ininterrompu. Les nouveaux phares blancs à éclat bleu des voitures aveuglent Aminthe.

— Je ne me vois pas m'engager sur cette route avec cette circulation à cette heure !

Un autre camion accentue l'émotion en donnant un retentissant coup de klaxon qui déchire la nuit.

— Tu veux qu'on revienne sur nos pas ? propose Marie.

— On peut filer en face, s'entête Aminthe, on devrait y arriver pareil.

Elle profite d'un trou dans le trafic et lève soudain le pied de la pédale d'embrayage. La 4L bondit sur la grand-route, manque de caler, s'engouffre dans la voie d'en face qui n'est plus qu'un chemin entre deux haies d'arbres. Une raie d'herbe a poussé au milieu. L'angoisse étreint d'autant plus Marie qu'elle sent sa sœur inquiète.

— Tu ne crois pas qu'on aurait mieux agi en faisant demi-tour ?

— Tu es capable de retrouver la route par où nous sommes passées ? Quelle heure est-il ?

Marie tente de voir l'heure, tâtonne vers le plafonnier. Sa sœur y joint nerveusement sa main. La lampe ne s'allume pas.

— Il ne marche pas !

Elles lisent à un croisement le nom d'un bourg qu'elles ne connaissent pas : Curzon. Elles ignoraient l'existence de cette commune. Les phares éclairent le portail d'une église romane. La pierre blanche des maisons a des miroitements ocre sous la pluie. Elles ont quitté les schistes et les granits du bocage et roulent sur le calcaire. Aminthe appuie résolument sur l'accélérateur et la 4L s'enfonce dans l'inconnu des ténèbres.

Saint-Benoist-sur-Mer ! Marie est frappée de stupeur, ses doigts s'agitent. Aminthe grommelle. Elles ont rejoint la mer, alors qu'elles étaient parties pour le bocage de Sainte-Flaive ! Marie, soudain, guette le surgissement de l'océan dans leurs phares, elle imagine l'enlisement de la 4L dans le sable. L'épouvante lui brouille la tête. Le souffle lui manque. Elle cherche dans son sac la poire de Ventoline. Aminthe donne un brusque coup de volant dans une rue à gauche du village désert. La lumière blême des rares lampadaires éclaire la chute de la pluie que le vent tord comme un torchon.

— Mais pourquoi ne t'arrêtes-tu pas ? se lamente Marie.

Les mains de pianiste d'Aminthe restent sur le volant. Les phares sabrent les dernières modestes maisons rentrées en terre pour résister au vent. La chaussée se réduit à une double bande de cailloux bosselée, creusée de flaques. Les branches des haies qui se rejoignent en voûte noire lâchent sur le pare-brise des giclées d'eau.

Marie pousse, tout d'un coup, un cri glacé d'horreur. Là, sur la droite, elle vient de voir dans le halo des phares une bête blanche qui les regardait ! Aminthe freine et s'arrête. Le mouvement des essuie-glaces se ralentit. Elles scrutent l'agitation des branches dans le noir. C'est vrai que quelque chose bouge, ou quelqu'un. Et elles voient s'allonger la tête blanche d'une charolaise aux gros yeux éblouis qui tend le mufle sous la pluie. Ses pattes sont enfouies dans le miroir d'un large fossé plein d'eau.

— Je t'avais dit qu'on arrivait dans les marais ! clame Marie, paralysée d'effroi.

L'eau affleure en effet dans les canaux de chaque côté de la route. Des touffes de joncs les frangent, entre des frênes et des saules à l'écorce jaune dont le vent ploie les rameaux souples.

— Tu voyais le marais au milieu du bocage ! réplique Aminthe avec mauvaise foi.

— Je voyais qu'on était perdues. C'est ta faute ! insiste Marie qui éclate en sanglots.

— Pas plus ma faute que la tienne. Tu n'as pas été capable de m'indiquer la route ! Pourquoi n'as-tu pas pris le calendrier des PTT pour avoir une carte ?

— C'est toi qui as voulu passer par La Ferrière !

— C'est peut-être moi qui ai décidé les travaux autour de La Roche ?

— Qu'est-ce qu'on fait ? pleure Marie.

— Tu veux qu'on fasse marche arrière ? Et que la 4L tombe dans le canal ?

La vache tend toujours sa large tête aux cornes en lyre dans la lumière. Elle paraît bonne fille, sort la langue, meugle peut-être. Aminthe démarre lentement, les mains en haut du volant, la tête collée au pare-brise. Car avec la nuit et la pluie, la chaussée et les fossés se confondent. Des lentilles recouvrent l'eau, qu'on prendrait pour de l'herbe.

Le chemin tourne. Des embranchements de canaux plus larges partent des bas-côtés. La voiture cahote sur le chemin du marais pendant des kilomètres interminables. Les deux sœurs ne respirent plus. Marie serre sa poire de ventoline entre ses doigts. Enfin la voie semble s'élargir. Les frênes, les saules, s'écartent. Les phares éclairent une vaste étendue d'herbe, une haie taillée avec soin. Elles roulent toujours aussi lentement. Et dans l'ouverture d'un passage, elles croient rêver en découvrant une tour carrée à échauguettes et mâchicoulis, dressée toute seule au milieu de la prairie.

— Je la connais..., murmure Aminthe.

Le nom lui revient en même temps que les phares éclairent le panneau :

— Moricq !

Une esplanade gravillonnée a été aménagée pour le stationnement. Aminthe y va, stoppe, laisse aller sa tête sur le volant tandis que le moteur tourne encore.

— Qu'est-ce qu'on fait ? demande-t-elle, épuisée.

Marie ouvre la fenêtre, se penche au-dehors pour respirer. Aminthe éteint les phares, coupe le moteur.

— Je ne me sens pas les forces d'aller plus loin.

— On ne va pas passer la nuit là ! crie Marie.

— Pourquoi ? On est à l'abri. Tu veux qu'on continue de tourner en rond et qu'on plonge dans un étier ? Je n'y vois plus. Je ne bougerai pas d'ici.

Il semble que le vent souffle moins fort. La pluie a cessé de battre. Aminthe entrouvre la portière.

— Il faut que je sorte.

— Moi aussi.

L'immobilité a rouillé la mauvaise hanche d'Aminthe qui souffle, s'agrippe pour s'extirper de son siège. Si nous étions tombées à l'eau, pense-t-elle, je n'aurais pas pu me sortir de la voiture. Le vent les saisit dès qu'elles sont debout. Il les secoue, les fouette. Marie tend l'oreille.

— Tu n'entends pas ? On dirait le bruit de la mer...

— Mais non, c'est le vent.

Elles lèvent ensemble le nez au ciel. Elles aimeraient y distinguer la lune, ou une étoile. La couche de nuages est trop épaisse. Le ciel est noir. Des effluves douceâtres de vase et d'eau saumâtre circulent dans l'air.

— C'est impossible qu'on dorme ici ! glousse Marie.

Et elle pense : Aminthe a dit ça pour me rabrouer

et elle va tourner la clé du démarreur en se rasseyant ! Mais Aminthe ouvre la porte arrière de la 4L.

— Je monte derrière. Ce sera mieux pour mes jambes. Les pédales et le volant me gênent devant.

Elle enfile son manteau. Des frissons parcourent Marie. Elle sent venir une quinte de toux qu'elle contient.

— Eh bien ! s'impatiente Aminthe, tu comptes rester plantée dehors ! Couvre-toi. Tu vas attraper du mal !

Elle lui tend son manteau. La quinte est plus forte que Marie qui se précipite à l'intérieur de la voiture.

— Tu vois... Et ferme ta portière, tu laisses entrer le froid !

Quelques gouttes recommencent à gratter contre la vitre. Le picotement dans la gorge de Marie s'atténue. Elle respire mieux.

— Est-ce que ça ira ?

Marie sursaute. Elle n'est pas sûre d'avoir bien entendu, car Aminthe a posé une main sur son épaule et parlé doucement.

— Il faudra bien.

— Prends le plaid sur lequel tu es assise, et enveloppe-toi.

— Et toi ?

— Moi, je suis assez bardée pour tenir un siège !

— Si on nous voyait, échouées au milieu du marais dans notre voiture !

— Au pied du donjon de Moricq ! Il ne nous est

122

jamais rien arrivé de curieux dans notre vie. On aura au moins cette aventure.

Marie cherche dans son sac.

— As-tu faim ? Veux-tu une galette ?

— Moi, j'ai toujours faim.

— As-tu soif ? demande Marie en déchirant le papier des gâteaux. Je n'ai pas apporté à boire.

— Ce n'est pas l'eau qui manque !

Elles ne rient pas.

— On a quand même la bouteille que j'ai mise pour les chrysanthèmes. C'est l'eau du puits dont ils nous ont dégoûtées. J'ai envie de la boire. J'ai soif. Peux-tu l'attraper derrière toi ?

Elles grignotent. Marie économise pour le lendemain, ne leur donne que quatre galettes. Elles tètent à tour de rôle au goulot de la bouteille.

Marie tousse encore, mais explique :

— C'est une miette de gâteau partie dans la mauvaise gorge !

Elles sont dans la voiture comme dans un bocal. Les vitres sont blanchies de buée. Aminthe ne trouve pas de position convenable. Une main de fer lui écrase la hanche. Elle serre les dents. Le silence s'installe et, avec lui, l'angoisse, les bouffées de peur. Le vent heurte parfois la 4L si fort qu'il l'ébranle. La pluie reprend, et s'acharne. Elles s'écoutent respirer. La poitrine de Marie pleure.

Aminthe pense au jeune homme en costume et chapeau, qui a sa photo sur sa commode : Fabien. Elle voit son sourire et il lui semble qu'à travers le temps, il continue de rire d'elle.

Marie essaie de dire ses prières. Mais ses pensées dérivent : J'espère que Pompon ne commettra pas de bêtises, tout seul... J'ai bourré la cuisinière, pas assez pour qu'elle tienne jusqu'à demain... Heureusement que j'ai donné aux pigeons avant de partir... Elle remonte le plaid sur ses épaules.

— Tu dors ?

Aminthe ne répond pas.

Roger Delaire... Tout l'après-midi, Marie a réentendu les paroles du boulanger. Et c'est à cause d'elles qu'elle n'a pas été folle de peur à ne pas tenir sur ses jambes. Ses mots la berçaient comme une musique. Est-il possible que Maurice Billaud ait inventé cette histoire ? Comment disait, selon lui, le commis boulanger ? « Marie, elle a les yeux bleus... bleus comme la mer ! » Mon Dieu, fallait-il qu'elle soit repliée sur elle-même et le travail de la Limouzinière pour ne s'être aperçue de rien ! De quelle couleur était cette moto, puisqu'elle s'en est souvenue ? Bleue ! Bleue comme les yeux de Marie, qui sont bleus comme la mer... Tu es folle !

— Tu dors ?

Elle entend le souffle de sa sœur qui pioche dans le sommeil. Elle dormirait couchée sur les pierres, pense-t-elle, jalouse... Roger Delaire était-il de la famille des Delaire qui habitaient à la Chapelle-du-Bourg ? Elle a connu un Maurice Delaire. Elle aurait dû interroger à ce sujet Maurice Billaud.

Aminthe sursaute au milieu de la nuit. Elle se redresse, la hanche douloureuse. Elle gémit en se cramponnant au siège. Où est-elle ? Marie tousse.

C'est elle qui l'a réveillée. Aminthe grogne sous les coups de vrille qui s'enfoncent dans sa chair. Elle rêvait. Le cauchemar des mauvais jours est revenu.

Elle jouait avec sa sœur dans la cour de la Limouzinière. Elles portaient leurs jolis tabliers de coton à carreaux boutonnés dans le dos et serraient dans leurs bras leurs poupées de chiffon. Leur mère leur criait de la porte de la maison : « Faites attention, les filles, ne vous salissez pas ! » Et soudain, comme en écho à ce cri dans la lumière blanche, elles se retrouvaient dans l'église sombre dont elles remontaient l'allée. L'harmonium jouait un air funèbre. Tous les fidèles se tournaient vers elles en robes et chapeaux de deuil à large bord et les montraient avec des doigts menaçants : « C'est leur faute ! C'est elles ! » Elle a hurlé : « Maman ! » dans son sommeil, et elle s'est réveillée, haletante comme d'habitude.

Ce cauchemar ravive une plaie béante. Elle lève les yeux, découvre un ciel plein de nuages en course devant une lune ovale. Elle se demande si elle n'est pas encore dans son rêve. La lumière blafarde cerne les contours de la tour carrée. Les silhouettes des deux fillettes en robes à carreaux et chapeaux noirs y dansent. Elle détourne les yeux et grogne vers sa sœur qui bouge :

— Arrête ! Qu'est-ce que tu as encore ? Tu tousses ?

— J'ai froid..., grelotte Marie.

Le pchitt ! de sa Ventoline retentit.

— Tu as toujours froid !

La grande rumeur du vent s'est calmée, la pluie aussi. C'est peut-être l'effet de la marée. La mer est sûrement très proche. Aminthe respire une odeur amère qui n'est pas celle des embruns. Elle se retourne vers les chrysanthèmes. D'eux viennent ces effluves âcres. C'est sans doute à cause de leur odeur, se dit-elle, qu'on en a fait la fleur des morts. Elle réprimande sa sœur qui continue de s'agiter :

— Dors ! Je parie que tu n'as pas encore dormi !

— Non, geint Marie. Je n'y arrive pas.

Aminthe clape de la langue, ricane à nouveau au tragique de leur situation, chasse l'image des deux petites filles qui veut revenir. Elle ferme les yeux sur la vision des nuages dans le clair de lune et tombe dans le sommeil comme une pierre.

Mercredi 30 octobre

La première amorce de jour décide Marie qui ne tient plus. Le froid la pénètre jusqu'aux os et elle ne se sent pas capable d'attendre davantage. Peut-être d'ailleurs se trompe-t-elle sur le signal du matin, mais il faut qu'elle bouge, sinon elle ne bougera plus, jamais.

Elle manœuvre doucement le bouton de la poignée, le retient jusqu'au clic discret, déplace avec précaution les pieds pour ne pas faire de bruit, ramène sous les bras le plaid dont elle serre les pans sur elle. Elle s'ébroue un peu plus loin sur le terre-plein éclairé par la lune. Les nuages ont abandonné une grande déchirure de ciel et les étoiles semblent si grosses qu'elle se demande si elle ne rêve pas. Elle croit avoir à peine dormi. Quand elle commençait de somnoler, le froid la réveillait.

Elle marche en titubant. Les douleurs se réveillent partout, dans les jambes, les bras, les reins. La terre se met à tanguer. Elle est restée trop longtemps pliée sur ce siège.

— Même une jeune serait mal en point. Comment va être Aminthe avec sa mauvaise jambe ? Pourvu qu'elle puisse conduire !

Heureusement tout se stabilise peu à peu. Tant que le vent a soufflé, elle a cru entendre la mer. Elle ne perçoit que la pluie des branches qui s'égouttent dans la haie, lève les yeux au ciel, le mouchoir sous son nez. Elle ne s'est pas trompée. Le jour vient : les étoiles pâlissent. La lumière poudrée de brume lui permet de déchiffrer le panneau, Moricq.

Un chien aboie dans la cour d'une ferme à mesure qu'elle approche. La lumière éclaire la lucarne d'une maison d'où s'échappe un murmure de voix. Marie reconnaît la radio. Elle a envie de cette cuisine tiède, de l'odeur du café qui chauffe. Un chat jaillit de dessous une voiture stationnée sur le bas-côté et bondit sur la grille d'une entrée.

— Que devient Pompon ? Et Pierrot a-t-il remarqué que nous n'étions pas rentrées ? Le maire saurait que nous avons passé la nuit dehors, il nous ferait enfermer, et tout le monde lui donnerait raison.

Une porte de garage roule sur ses rails tout près. Marie se dissimule derrière une haie de lauriers. Un couple est assis dans la voiture qui recule et s'en va. Les réverbères éclairent des petites maisons de bord de mer aux toits de tuiles et aux murs blancs de chaux. Une auto passe, suivie d'une fourgonnette qui la frôle, parce qu'elle est au bord de la route dans le virage comme une statue.

Elle se hâte sur le chemin qui doit la ramener

vers la tour. Ses jambes tremblent. Il lui tarde de retrouver la voiture. Un bonhomme à moustache grise et casquette de marin s'avance vers elle sur son vélo. Son phare s'éteint et s'allume au rythme de son lent coup de pédale. Il freine en la croisant surpris de la trouver là, la dévisage, puis repart hésitant, et se retourne en zigzaguant. Elle jette un coup d'œil par-dessus son épaule, accélère.

Elle aperçoit avec soulagement la tour, dans la lumière grise du petit jour. Elle ouvre la portière sans précaution et s'installe. Aminthe dort encore. Marie essuie la buée sur le pare-brise et la vitre de sa portière.

— Qu'est-ce qui se passe ? grogne Aminthe.

— Le jour se lève. Il faut qu'on s'en aille. Quelqu'un m'a vue.

— Et alors ?

Aminthe soupire. Elle se cramponne au siège, ébranle la voiture. Elle gronde, souffle, pour s'extirper de l'habitacle, s'appuie sur le toit de la 4L pour reprendre haleine, une fois sortie.

Marie voit la poitrine de sa sœur se soulever dans son décolleté. Après un moment, Aminthe se décide, s'agrippe, se laisse tomber sur le siège avant. Elle lance à sa sœur un cinglant regard noir parce qu'elle est témoin de sa misère, tourne la clé de contact sans un mot. La voiture regimbe à cause de l'humidité, démarre enfin.

— Vas-y, indique Marie, la route est au bout du chemin.

Elles atteignent la route goudronnée lorsque Marie lui dit :

— Tourne à gauche ! Tourne !

Le cycliste à casquette de marin vient de surgir, arrivant du village tranquillement. Aminthe accélère, obéissante. Elles traversent le port de Moricq, franchissent un canal.

— Tu ne nous as pas envoyées vers La Roche, grommelle Aminthe. Nous allons nous retrouver dans le marais.

Plus tard, en lisant son journal, le cycliste devait dire qu'il avait cru rêver lorsqu'il avait découvert une voiture occupée par deux vieilles, tout ébouriffées, les yeux hagards, à cette heure matinale auprès de la tour. Elles s'étaient dirigées vers le marais et il avait surveillé la route, se demandant s'il allait les revoir.

La route sinue entre des canaux bordés de tamaris. Elles franchissent un pont en dos d'âne sur une voie d'eau plus large. Marie commande :

— Arrête-toi. Tu as la place, là-bas, à l'entrée de la barrière.

Aminthe, docile, freine.

— On va manger et boire, et faire un peu de toilette. Si les gens nous voient arriver chez nous dans cet état, ils se poseront des questions.

— On va d'abord porter nos chrysanthèmes ! Nous sommes parties pour ça.

Marie sort son paquet de galettes, débouche la bouteille d'eau. Elle économise, par habitude. Elle donne plus à sa sœur.

— Pourquoi en prends-tu moins ?

— Parce que j'ai moins faim.

Aminthe lui rend ses gâteaux.

— Si tu te prives, je me prive moi aussi !

— Mais non, je ne me prive pas !

— Et puis j'ai mes dragées, que je préfère.

Elle fouille le fond de sac, le tend à sa sœur.

— Sers-toi.

— Tu ne devrais pas, dès le matin, avec ton diabète...

Elles tètent à tour de rôle à la bouteille. Marie avale quelques gorgées, du bout des lèvres. Elle ouvre la portière pour aller se soulager derrière les tamaris.

— Tu ne viens pas ?

— Tu m'embêtes ! Tu as vu à quelle gymnastique je suis obligée ? Avec mon pantalon, en plus...

— Fais l'effort. Tu ne tiendras pas toute la matinée. Ça te dégourdira les jambes et te fera circuler le sang. Tu seras plus à l'aise pour conduire, ensuite.

Aminthe cède.

— Prends le plaid. Moi, je n'ai plus froid. La promenade dans Moricq m'a réchauffée.

Le chauffage de la voiture a redonné, en effet, une agréable coloration vermeille aux pommettes de Marie et ses yeux luisent de reflets myosotis. Aminthe accepte de serrer le plaid sur sa poitrine.

Elles marchent dans l'herbe mouillée. Quelques brouillards collent encore à la terre. Un soleil glaiseux les traverse et monte sur l'étendue des prairies. Les taches blanches d'un troupeau de vaches se déplacent au loin. Une forêt de pins barre l'horizon. Un couple de hérons survole les deux sœurs en poussant son désagréable cri de crécelle. Marie s'empresse vers la voiture en se réajustant.

— Le vent se lève. J'ai l'impression qu'il fait plus froid.

Son haleine sort de sa bouche en fumée. Aminthe, qui a sorti son peigne, arrange ses cheveux dans le rétroviseur. Avant de démarrer, elle pioche une nouvelle dragée dans son sac.

— Tu ne retournes pas vers le bocage ? demande Marie.

— C'est toi qui as voulu qu'on vienne par là. On ira jusqu'au bout !

Elles roulent en silence à travers le marais. La tension est remontée dans l'habitacle. L'ambiance est à la bouderie. Le ventilateur du chauffage ferraille avec un bruit de pale voilée. Elles traversent des villages qu'elles ne connaissent pas ou qu'elles ont oubliés : Grues, L'Aiguillon. Elles roulent toutes seules sur une longue route droite sableuse balayée par le vent. Un haut mur gris interminable longe la route à droite. Aminthe s'arrête devant la ruine d'une grande maison au toit effondré, aux portes et aux fenêtres assaillies de ronces et de hautes herbes. Elle ne le dit pas à Marie, mais elle a l'impression d'être arrivée au bout du monde.

— On va tout de même aller voir ce qu'il y a de l'autre côté de ce mur !

— Laisse-moi y aller seule ! propose Marie.

À intervalles réguliers, le mur est flanqué d'escaliers de pierre, dépourvus de rampe, aux marches cerclées de ferraille rouillée.

— Et pourquoi je n'y monterais pas ? s'exclame Aminthe en rougissant. Je suis capable de grimper notre escalier à la maison !

Marie dodeline en se demandant comment sa sœur va s'y prendre. Elle reste à la traîne. La route est déserte. Le vent froid couche les roseaux. Elle rejoint Aminthe au pied de l'escalier, se colle derrière elle pour la soutenir dans son ascension. Aminthe se retourne :

— Ne reste pas derrière moi comme ça. Tu m'agaces !

Aminthe se cale le dos contre l'oblique du mur de forme pyramidale et surprend Marie par sa facilité à s'élever, marche après marche. À l'arrivée, seulement, en haut, elle peine, s'agenouille, s'aide de ses mains. Elles se dressent en même temps sur la muraille de la grande digue de L'Aiguillon, aveuglées par les scintillements de la lumière.

La mer, qui descend, découvre à perte de vue des kilomètres de vase plantée de pieux de boucholeurs. Elles contemplent sans un mot cette forêt étrange garnie de moules noires qui tremble dans la lumière : on dirait qu'elle bouge. La passe du chenal qui mène au port miroite au soleil comme le dos d'un énorme serpent aux écailles d'argent.

Les deux sœurs portent leurs mains en visière sur leurs yeux. Le vent salé plaque leur manteau sur elles. Elles devinent la mer, là-bas, ligne d'argent qui frissonne. Comment imaginer cet océan de rêve capable de se lancer à l'assaut du mur où elles sont montées ? Pourtant la digue est endommagée un peu partout et les trous dans le vieux mur sont bouchés par des rochers énormes comme en transportent aujourd'hui les camions et les tracto-pelles.

Elles se retournent vers la terre. Des moutons paissent l'arrondi d'une digue de terre. Des vanneaux immobiles dressent leurs huppes sur les prés et les champs. Quelques-uns décollent parfois. L'argent de leurs ventres étincelle sous leurs ailes sombres. On dirait un congrès de religieuses en cornettes.

— Rien qu'à cause de ça, murmure Aminthe, je ne regrette pas que nous nous soyons perdues...

La lèvre de Marie étonnée de l'optimisme de sa sœur tremble sur un sourire. Un troupeau de nuages passe, bousculé par le vent. Leur ombre court sur les vases. Aminthe descend marche après marche, sur les fesses. Son rire de gorge la secoue.

— Ce qu'il faut souffrir pour quelques minutes de plaisir !

Les marches sont mouillées. Son pantalon aussi. Elle sort son bâton de rouge à lèvres dans la voiture et trace sur sa bouche un trait écarlate qui lui redonne de la couleur. La lumière est blonde. Le soleil pleut à travers les trouées de nuages. Il fait chaud dans la voiture. Aminthe chantonne en pianotant sur son volant la musique du psaume :

134

Lauda Sion salvatorem... Marie ferme les yeux soûlée par le grand air.

Elle les rouvre. Elle a dormi. Elles sont encore au milieu du marais morne et nu. Il y a beaucoup plus de ciel que de terre. De temps à autre, la route droite se heurte à un canal et oblique à angle droit. Leur passage lève des oiseaux étranges, des pluviers, des aigrettes blanches. Marie, inquiète, regarde sa montre.

— Où nous emmènes-tu, Aminthe ? Tu ne nous as pas encore perdues ?

Une montée de sang empourpre sa sœur.

— Tu ne nous as pas encore perdues ! singe-t-elle. Toi, tu dors ! C'est ta faute ! C'est toi qui nous as envoyées ce matin dans le marais à la sortie de Moricq. Alors nous y sommes, maintenant !

— Où sommes-nous ?

— Lis les panneaux !

Marie lit : *Le Marais Fou.*

— C'est tout à fait ce qui nous convient !

— Qu'est-ce que tu dis ?

— Rien.

Elles ont déjà effectué un demi-tour, arrêtées par le cul-de-sac d'une barrière. Elles roulent à présent sur un chemin de terre aux fondrières colmatées de tuiles cassées. Les vieux amortisseurs de la 4L gémissent. Son moteur s'emballe parce qu'Aminthe fait régulièrement patiner l'embrayage aux changements de vitesse. Marie se retourne vers ses chrysanthèmes qui ont une triste mine. Sa sœur a toujours les mains cramponnées en haut du volant.

— Elle va nous mettre dans le canal ! soupire Marie assez fort pour être entendue.

Elles débouchent enfin sur une route carrossable. Un tracteur arrive en face au ralenti.

— Pourquoi ne t'arrêtes-tu pas pour lui demander la route ?

Aminthe continue de rouler, l'œil fixe, sourde aux commentaires de sa sœur. Marie la prend par le coude et la secoue à bout de patience.

— Ce n'est tout de même pas ma faute si tu as eu peur de prendre la grand-route hier soir !

— Je n'ai pas eu peur, je n'y voyais pas !

— Tu y voyais devant le toboggan, et tu n'as pas voulu y monter !

— C'est vrai. Mais comment ne pas avoir peur, avec toi ? Regarde-toi, tu trembles tout le temps !

— Ne me dis pas que tu ne sais pas où nous sommes. Il est temps maintenant de retourner.

— Et alors, si je veux continuer ? Est-ce que je te laisse sur le bord de la route ?

Elle lève son menton d'entêtée, ses fanons tremblent aux cahots de la route déformée.

— Et ne pleurniche pas, pour fuir tes responsabilités et les mettre sur le dos des autres, comme d'habitude !

Elle rétrograde rageusement à l'entrée d'un village dont elles n'ont pas pris le temps de lire le nom. Le moteur s'emballe. Elle calme de la main le levier de vitesse qui vibre.

Le silence est lourd maintenant de sous-entendus. Elles n'ont pas abordé le sujet depuis dix ans au moins, et seulement par allusions prudentes. Elles savaient qu'il était là, entre elles, et qu'il valait mieux éviter de soulever le couvercle. Mais dans cette voiture, avec cette promiscuité qui dure... Marie sent les bronches de sa poitrine s'enflammer. Les mains d'Aminthe serrées sur le volant blanchissent aux jointures.

La 4L roule à présent au pied d'une falaise crayeuse. Les prés en chaume laissent la place à des ronciers. Au tournant un panneau indique la pointe Saint-Clément. Et c'est aussitôt le sable et des rochers recouverts de varechs. La mer, qui n'a pas fini de descendre, mouille encore la route au pied de la falaise. Des barques de pêcheurs sont abandonnées plus haut.

Aminthe s'engage sur la voie bétonnée qui descend vers la mer entre les rochers. Elle risque même ses jantes dans l'eau, par défi, arrête le moteur et ouvre sa vitre. Le râle de la mer emplit l'habitacle avec le vent salé. Une vague mourante effleure les pneus de la 4L avec un bruit de soie. Les doigts de Marie s'agitent, elle se racle la gorge.

— J'ai toujours reconnu que c'était moi qui avais tendu la corde en travers de l'escalier du grenier. Je n'ai pas fui mes responsabilités. Et toi ?

— Quoi, moi ?

— Tu reconnais qu'en mon absence maman est montée chercher des pommes et qu'elle t'a dit d'enlever cette corde qui risquait de faire tomber quelqu'un ?

— Est-ce que je sais ? Je jouais. J'ai deux ans

137

de moins que toi, ne l'oublie pas. J'avais huit ans. J'ai pu répondre oui et n'avoir rien entendu.

— Maman a redescendu l'escalier avec un plein cageot de pommes. Elle a enjambé ma poupée et mes guenilles étalées sur les marches. Elle n'a pas vu la corde. J'ai entendu le bruit de sa chute dans l'escalier. Je me suis précipitée. Vous étiez toutes les deux par terre sur les carreaux. Une pomme continuait de dégringoler les marches. Depuis soixante-dix ans, cette pomme n'en finit pas de rebondir dans l'escalier de la Limouzinière.

— Arrête !

Aminthe a crié. Ses sourcils sont joints, ses yeux noirs.

Des pêcheurs s'affairent sur une barque à moteur devant, en mer. Des mouettes tournent autour. Le soleil se brise en éclats contre leurs ailes blanches. Les sœurs se taisent. Elles regardent devant elles sans rien voir. Leurs poitrines se soulèvent. L'air pleure dans celle de Marie. Et c'est Aminthe qui reprend, la voix rauque :

— Tu as crié comme une folle, et tu t'es sauvée en courant...

— Je suis allée chercher de l'aide !

— Je tenais la tête de maman sur mon bras et une bosse se gonflait sur son front grosse comme un œuf.

— J'ai ramené notre grand-mère qui a frotté la bosse avec de l'arnica.

— Je vois encore maman assise par terre à côté de moi, sa grosse bosse jaunie d'arnica sur le front.

Elle se palpe les bras, les reins, les jambes, et elle rit : « Ce n'est rien ! Je n'ai rien ! »

— Elle ne nous a pas dit qu'elle attendait un enfant. À cette époque, on n'en parlait pas à des filles de notre âge. J'ai entendu quand elle t'a lancé : « Je t'avais demandé d'enlever cette corde, Aminthe. » Elle a ajouté, pour nous éviter d'être punies : « C'est ma faute ! »... Huit jours après elle était morte...

Marie pousse son petit cri habituel.

— Comment en sommes-nous arrivées à rabâcher encore ?

Les larmes emplissent ses yeux. Elle cherche son mouchoir.

— Arrête de pleurnicher !

Aminthe met le nez à la fenêtre, respire l'air du large. La mer se retire très vite et découvre le passage aménagé parmi les rochers pour tirer les barques sur la grève. Marie se mouche, et soupire :

— Notre grand-mère avait raison : on peut passer notre vie à chercher les torts — c'est d'ailleurs ce qu'on a fait —, ce qui est arrivé devait arriver.

— Ne dis pas ça, tu m'énerves ! rugit Aminthe en se cramponnant au volant.

Elle appuie sur les pédales et les relâche.

— Parce qu'alors tout aurait été prévu ? Elle n'aurait été enceinte que pour que le petit, en mourant dans la chute, la tue par infection généralisée ? Car elle est morte de septicémie après le décès de l'enfant qu'elle portait.

Marie, muette, laisse sa sœur poursuivre dans son emportement.

— Alors, notre père avait tort quand il nous criait : « C'est votre faute ! C'est vous qui l'avez tuée ! » C'était lui, le coupable. C'était lui qui lui avait fait l'enfant !

Marie hausse les épaules.

— Il ne mesurait pas la portée de ses paroles.

Aminthe ajoute dans un souffle :

— J'en fais encore des cauchemars, la nuit et le jour. J'en ferai jusqu'à ma mort.

Marie ajoute comme dans le même souffle :

— Depuis, moi, j'ai toujours porté le deuil.

Elles ne se disent plus rien.

Elles restent là, longtemps, immobiles, dans l'engourdissement de leur lassitude. Cela dure quelques minutes, ou peut-être une heure. C'est Marie, la première, comme si elle se réveillait, qui toussote et vérifie l'oppression de sa poitrine. « Je ne ferai pas de crise, se dit-elle. Pourquoi avons-nous éprouvé le besoin de nous torturer aujourd'hui ? Aminthe est devenue comme elle est, autoritaire et dure, à cause de ça, et elle n'a jamais supporté les enfants. »

— Veux-tu fermer ta vitre, Aminthe ? demande-t-elle.

La brise qui monte de la mer, en effet, est fraîche. Aminthe a compris depuis longtemps que les crises d'asthme de sa sœur n'étaient pas dues aux simples courants d'air. Sa plus mauvaise période a été celle de la puberté. Elle s'occupait de

René. Elle remplaçait leur mère parce qu'elle était l'aînée.

Les deux sœurs se regardent. Elles ont compris qu'elles ont rangé les armes. Aminthe ajoute pour en finir :

— Ce que je reprocherai toujours à notre père c'est de nous avoir jusqu'au bout laissé peser cette charge sur les épaules. Nous avons été élevées autrement que les autres. Il a trouvé naturel que tu sacrifies ta jeunesse, ta vie, à son service et au service de René. Il s'est séparé de moi et m'a envoyée à l'école en pension parce que je n'étais pas comme toi, je refusais de lui obéir...

Marie soupire :

— Oui, tu l'as déjà dit. À l'époque, c'était comme ça...

Le soleil est très bas. Les pêcheurs en ciré ramènent leur barque vers le rivage. Le passage bétonné s'enfonce dans la mer comme s'il voulait la traverser. Les pêcheurs y accostent et déchargent de grands bacs de plastique qu'ils remontent vers la route. Ils sont trois. Ils tirent fort sur les cigarettes qu'ils viennent d'allumer. Ils passent à côté de la 4L en portant leurs bacs, le pas alourdi par les bottes, sans s'intéresser aux deux vieilles. La présence des touristes durant toute l'année leur est devenue tellement habituelle et étrangère.

Elles attendent qu'ils aient rejoint leur voiture sur le sable, plus haut. La route, au pied de la falaise, est maintenant complètement sèche. Aminthe range la 4L sur le côté, près des rochers vernis de mer.

— Il te reste des galettes ? J'ai faim.

— Ce sont les dernières.

— On va les manger. Nous verrons après.

Aminthe engloutit. Marie grignote et fait durer le plaisir.

— Sais-tu ce qu'elle est devenue cette corde ?

Marie hausse les épaules :

— Je crois que grand-mère l'a brûlée.

— Elle a bien agi. Mange !

La mer et les rochers sont maintenant déserts. Des cormorans filent, le cou tendu, vers les marais. L'air vif surprend les deux sœurs qui sortent de la voiture.

— Il fait plus froid que sur la digue.

Aminthe a retrouvé sa canne. Elles marchent vers un gros rocher derrière lequel elles pourront s'accroupir. La mer dort en flaques paisibles dans les trous. Des langues de sable blondissent au soleil.

— Nous aurions dû aller plus souvent au bord de la mer, dit Aminthe. Elle n'est pas loin de chez nous.

— Nous n'en avions pas l'habitude. Et puis il y a les touristes.

— En hiver, il n'y a plus de touristes !

— Te rappelles-tu notre père allongé sur la plage des Sables-d'Olonne ? Ses jambes de pantalon remontées découvraient ses fixe-chaussettes sur ses mollets blancs.

— Oh ! oui, un jour René les a découpés pour fabriquer un lance-pierres, et ç'a été un drame !

— Tu y vas la première ? demande Marie en désignant l'abri du rocher.

Aminthe explore le sable du pied et de la canne.

— Ça devrait aller pour ma gymnastique.

— Tu n'as pas besoin de moi ?

Aminthe hausse les épaules. Marie monte la garde, puis s'isole à son tour, les jambes flageolantes encore d'avoir réveillé leurs fantômes. Elle est si maladroite dans ses tremblements à se défaire, qu'elle mouille sa culotte. Sa sœur se dirige vers la 4L sur ses trois pattes, sans l'attendre. Marie la rattrape en trottinant.

— Allez, cette fois, pas de blague, on rentre ! dit Aminthe en s'installant.

Elle claque vigoureusement la portière. La route monte sur la falaise. Du haut de la corniche, la vue est magnifique sur la mer. Elles traversent un village appelé Coup-de-Vague, s'éloignent de la côte, rejoignent une route plus large, prennent résolument la direction du nord.

— C'est bien par là, regarde : Luçon.

Elles roulent sur une route droite à travers les marais et les peupliers. Les roues des voitures ont tanné des peaux de rats écrasés sur la chaussée. Çà et là, une maison se dresse toute seule au milieu des terres nues, flanquée de sa grange et d'un désordre de constructions de tôles.

— Ils pourraient au moins planter des haies

143

autour. Je m'ennuierais dans ces paysages mono-
tones.

À bout d'émotions, de nuit sans sommeil, de
manque de nourriture, Marie ferme les yeux. Sa
tête dodeline avec les cahots de la voiture sur la
chaussée déformée. Sa bouche s'ouvre quand elle
dort. Son buste glisse. Lorsqu'il touche la vitre, elle
se redresse sans lever les paupières, et peu à peu
recommence à glisser.

Le Klaxon appuyé d'un camion et le grondement
de son moteur qui les dépasse la réveille.

— Où sommes-nous ? On va bientôt arriver ?

Aminthe tient les mains en haut du volant. Elles
roulent sur une route à quatre voies. Des voitures
les doublent sans cesse.

— Où sommes-nous ?

— Sur la route de La Roche, répond Aminthe
en montrant un panneau indicateur et donnant un
coup de volant pour s'engager sur la bretelle indi-
quée.

Elles se retrouvent dans une immense zone commerciale aux enseignes géantes, tournent dans des
parkings grouillants d'autos, franchissent lentement des passages cloutés que des piétons traversent sans regarder.

— Nous sommes déjà passées là tout à l'heure,
dit Marie.

Aminthe freine, veut s'arrêter, est aussitôt
klaxonnée, trouve un bout de trottoir où elle stationne à califourchon.

— Je ne sais pas ce qui s'est passé, avoue-t-elle.

Nous sommes près de La Rochelle... J'ai dû être distraite. Tu dormais...

Elle a la figure rouge. Elle s'éponge les mains, le front, les joues, la gorge, avec son mouchoir.

— Et cette route de La Roche, où est-elle ?

Des coups de Klaxon violents insistent pour les déloger. C'est un bus de la ville dont elles encombrent le couloir. Il s'est arrêté derrière elles, le moteur ronflant, attendant leur départ.

Aminthe redémarre en faisant patiner l'embrayage. Elles suivent le flot et tournent en rond autour des grandes surfaces. Marie montre le rond-point :

— La Roche, là-bas !

Elles prennent la direction. Elles sont peut-être sauvées. Mais, à la patte-d'oie, Aminthe hésite, les panneaux ne lui disent rien, les couloirs indiquent La Rochelle, Rochefort, l'île de Ré.

— On ne va pas aller dans l'île de Ré !

Elle choisit Rochefort. La route grimpe sur le terre-plein d'une autre rocade à quatre voies où des bretelles nombreuses venues de la ville apportent un flot continu de véhicules, qui déboîtent à vive allure. Aminthe a décollé le dos de son siège. Ses mâchoires se serrent. Ses paupières plissées sont descendues et on croirait qu'elle dort. Marie qui la connaît sait qu'au contraire, elle est toute tendue dans sa conduite.

Elles roulent ainsi longtemps jusqu'à ce que le flot se stabilise, les affluents de routes disparaissant, les véhicules prennent leurs distances.

Aminthe laisse aller son dos contre le dossier. Marie signale une prochaine aire de stationnement.

— Si nous nous arrêtions là, un moment ?

Aminthe met son clignotant qui hoquette bizarrement.

— Qu'est-ce qui lui prend celui-là ?

Elles sont à peine arrêtées, qu'Aminthe s'effondre, épuisée, la tête sur le volant.

— Je n'en peux plus ! Je ne suis plus capable de conduire sur ces routes à grande circulation !

— Mais non, c'est simplement parce que nous n'avons pas de carte. Nous ne savons pas où nous sommes.

— Qu'est-ce que nous allons faire ?

Marie regarde sa montre. La lumière du soleil prisonnier d'une brume bleutée s'éteint. Les frênes du parking sont dépouillés, l'herbe piétinée des pelouses est jonchée de papiers gras.

— Il reste une goutte d'eau, la veux-tu ?

— Et toi ?

— Moi, j'ai envie d'aller voir ce qui se passe de l'autre côté.

Marie monte le chemin creusé dans le talus pelé au bord du parking. Elle revient, fait signe à Aminthe d'en haut :

— Viens voir !

Aminthe cède, gravit péniblement le sentier.

— Ça te fera du bien de marcher, l'encourage Marie.

Après la côte et un faux plat, elles débouchent

146

sur une baie de sable jaune caressée par la mer où le soleil descend.

— C'est beau, n'est-ce pas ?

— Le temps a passé. La mer est presque haute maintenant. Dépêchons-nous !

Elles longent des pêcheries de planches montées sur pilotis, leurs carrelets suspendus au-dessus des flots. Aminthe s'empresse, sa canne dans le sable, préoccupée. Elle démarre, l'œil fixé sur la jauge à essence.

— On n'a plus d'essence. On va tomber en panne !

— Tu es sûre ?

— Le réservoir est presque vide. Je ne sais pas si nous pourrons aller jusqu'à la prochaine station, si on en trouve une !

Elles repartent, le regard sur la petite aiguille du niveau qui reste collée en bas du cadran.

— Je ne suis jamais tombée en panne avec cette voiture !

— Nous ne le sommes pas encore ! tempère Marie.

Un panneau signale Les Boucholeurs à cinq kilomètres. Elles prennent la petite route qui revient vers la côte et atteignent le front de mer au moment où les derniers rayons du soleil s'éteignent à l'horizon. Elles traversent le village de pêcheurs sans trouver de station-service. Aminthe pile après la dernière maison.

— Je ne veux pas aller plus loin. On ne va pas tomber en panne au milieu de l'autoroute !

— Recule, j'ai vu quelqu'un dans le jardin, là-bas. Je vais lui demander où on peut trouver une pompe à essence.

Elle s'approche du portillon de la maison blanche, un homme s'avance en pantalon et veste de coutil, la figure rayée de rides bienveillantes.

— Voilà bien longtemps qu'il n'y a plus de pompe à essence aux Boucholeurs ! La station-service est à la sortie de Châtelaillon.

— C'est loin ?

— Pas très loin, mais il faut y aller. Ils ont même supprimé le dépôt de pain, ici... C'est sur la route de La Rochelle.

Marie s'empresse vers la 4L. Aminthe démarre. Le moteur cale, repart. Elles entrent dans les premiers lotissements de Châtelaillon lorsqu'un hoquet secoue la voiture. Aminthe tourne dans une petite rue pour ne pas rester en rade dans l'avenue principale. La voiture roule encore, tousse, s'enroue, puis se tait, achevant sa course contre le trottoir du boulevard de la Mer où elle s'immobilise.

— Eh bien, voilà, face à la mer ! dit Marie feignant de prendre l'événement à la plaisanterie, nous aurions pu tomber plus mal ! Qu'est-ce qu'on fait ?

— On va chercher de l'essence ! Tu veux te tourner les pouces ? s'emporte Aminthe. Moi, je ne passerai pas une deuxième nuit dans la 4L.

Elles descendent.

— J'ai froid ! dit Marie qui serre le manteau sur sa poitrine.

— Prends le plaid !

— Tu ne fermes pas ?

— Personne ne viendra nous la voler dans l'état où elle est. À moins que tu ne craignes pour tes chrysanthèmes !

Elles ont pris leurs sacs, toutes deux. Une écume de lumière dorée frissonne encore là où la mer et le ciel se rejoignent. Une étoile brille déjà, là-haut. Les deux sœurs se hâtent sur la promenade en direction du casino. En cette saison, beaucoup de villas sont fermées. À cette heure, elles ne croisent plus que quelques passants qui ont sorti leurs chiens et s'arrêtent aux pieds des tamaris. Çà et là, des lumières éclairent des balcons et des corniches festonnés de dentelles de bois. Le soir dérobe les formes des beaux hôtels aux vitrines blanchies de lait de chaux.

Aminthe précède sa sœur en soufflant, grognant, rattrapant l'équilibre avec sa canne. Tout d'un coup, les lampadaires s'allument et dessinent l'arc de cercle de la baie. Aminthe s'arrête, se retourne. La 4L attend, encore proche, au bout de l'avenue sous son lampadaire. Elles n'ont pas encore rejoint l'esplanade du casino. Aminthe avise un banc de bois entre deux tamaris.

— Si on s'asseyait pour souffler un peu ?

Elle se laisse aller sur les lattes en gémissant.

— Je meurs de faim !

Elle cherche une dragée dans son sac.

— Tu en veux une ?

— Je veux bien.

149

Marie frissonne. Les rouleaux de mer s'échouent en grondant sur la plage, tout près, de l'autre côté du muret du trottoir. Aminthe évalue la longueur de la corniche à parcourir.

— Jamais je ne pourrai aller là-bas.

Elle s'agrippe à l'accoudoir. La douleur lui déchire la jambe.

— Allez, on retourne ! Je suis incapable de rejoindre la station-service à pied dans l'état où je suis !

Elle s'arc-boute sur son bâton pour se redresser.

— Va devant, s'impatiente-t-elle contre sa sœur qui tousse, au lieu de rester là à m'attendre !

Elle flageole dans le vent sur ses trois jambes, parvient à avancer un pied, puis l'autre. La nuit est maintenant toute noire et ses étoiles sont allumées. Les lumières d'un bateau clignotent sur l'océan.

Marie s'est blottie à sa place dans la voiture.

— Penses-tu qu'on puisse passer une deuxième nuit ici ?

Marie ne répond pas. Aminthe montre les néons colorés des enseignes par-dessus les toits.

— On pourrait aussi aller à l'hôtel du casino, il doit bien y avoir des chambres. Demain matin, on demandera à quelqu'un de nous emmener à la pompe.

— Je n'ai pas envie d'aller à l'hôtel, ils vont nous poser des questions. Tu as dit tout à l'heure pourtant que tu ne voulais pas de la voiture...

— Je dis une chose et son contraire... Mais est-ce que tu auras froid ?

— Ça va, maintenant. Dans la voiture nous sommes à l'abri.

— Au moins, on ne risque pas de mauvais coup, dit Aminthe en s'installant pour la nuit, puisque nous sommes sous un lampadaire !

Elle explore encore le fond de son sac et partage ses dernières dragées.

— Demain matin, nous nous paierons un bon petit déjeuner au restaurant. Je mangerai un œuf. Je donnerais cher pour manger un œuf coque avec des mouillettes beurrées.

— Tu te souviens des œufs d'oie de la Limouzinière ? Nous n'en avions presque jamais parce que maman les gardait pour les mettre à couver. Tu te souviens de leurs gros jaunes ?

Après un moment Aminthe murmure :

— Fabien en a mangé un, la veille de son départ...

Marie s'affaire à boutonner son gilet sous sa gorge pour ne pas répondre. Elle tire le plaid sur ses épaules. Aminthe l'épie accoudée au dossier du siège, dans la lumière du lampadaire.

— Tu sais, bien sûr, que Fabien s'intéressait à une autre que moi...

Marie pousse son cri. Pourquoi faut-il qu'elles continuent de déballer toutes leurs histoires ? Fabien, qu'Aminthe a pleuré comme s'ils avaient été mariés, est mort dans un camp de prisonniers en Prusse-Orientale. Elle a traîné sa photo partout comme une relique en se prenant pour une veuve.

Elle a humilié sa sœur quand elle était méchante et s'est moquée d'elle en disant :

— Toi, tu ne sais pas ce que c'est qu'un homme. Tu es une vieille fille !

Marie n'a jamais été dupe. Elle savait que sa sœur avait besoin de ça pour vivre. Elle gardait les choses qu'elle avait découvertes dans le secret de son cœur. Et ce soir dans leur voiture échouée sur la plage, après deux jours de dérive, elle espère qu'Aminthe va se taire.

— Pourquoi me racontes-tu cette histoire ?

— Parce que ce n'est pas une histoire, insiste Aminthe cramponnée au dossier du siège. Si Fabien était revenu d'Allemagne, il ne se serait jamais marié avec moi.

— Est-ce qu'on peut dire ce qui se serait passé, puisqu'il est mort ?

Elle pense : « Pourquoi sommes-nous venues jusque-là ? Je voudrais être couchée, tranquille au fond de mon lit avec Pompon sur mes pieds. » Mais Aminthe ricane.

— Tu te souviens des lettres que j'attendais et qui n'arrivaient pas ? Nous disions que c'était à cause de la guerre. Tu te souviens de son départ ? Tu étais avec nous. Hélène Blanchard était là, aussi, avec ses cheveux blonds et sa robe d'organdi. Je me suis demandé pourquoi elle était venue. Fabien l'a embrassée comme une camarade d'école lorsque le train est entré en gare. Elle avait appuyé sa main sur son épaule. Elle a réajusté la bretelle de la musette qu'il portait en bandoulière, et il est revenu vers moi. Je ne me suis doutée de rien, ce jour-là. Après, je me suis rappelé souvent cette scène. Il fallait que je sois bien innocente pour ne pas avoir compris que tout était perdu pour moi.

— Pourquoi attaches-tu de l'importance à des choses que tu n'as pas vues, soixante ans après ?

Aminthe se recule, cherche une position plus confortable sur la banquette arrière. Marie l'entend haleter derrière elle.

— Tu t'énerves. Veux-tu un comprimé d'aspirine ? J'en ai pris un tout à l'heure. Mais je n'ai pas d'eau.

— Donne !

Aminthe prend le comprimé dans la main de sa sœur. Elle avale, avale encore. Marie scrute le fond de la 4L. Elle ne se souvient pas d'avoir vu sa sœur pleurer depuis leur enfance, peut-être depuis la mort de leur mère.

— Ne te retourne pas ! lui ordonne Aminthe. C'est à cause de ce voyage idiot, cette panne sèche.

Aminthe se mouche, se cale dans le coin de la banquette, le visage dans l'ombre du longeron.

— Tu te souviens des bottines à talons d'Hélène ? Elle a été la première à en porter. On ne pesait pas lourd, nous les sœurs Robin, comparées à elle. Je ne parle même pas de notre malheur. Notre père pouvait être bêtement fier de ses dix hectares de petit propriétaire partagés en choux, betteraves, blé et prairies, comparés aux quarante de pâturages où le père Blanchard engraissait les bêtes achetées à la foire. Même à l'école la maîtresse faisait la différence. Rappelle-toi, à la fête de fin d'année, Hélène a été choisie pour être la mariée en robe blanche, nous, nous étions dans le cortège des invitées.

— Tu te souviens de ça..., murmure Marie. Qu'est-ce que ça prouve ?

— Un matin de l'été 41, le père Debien, le facteur, est entré dans la cour de la Limouzinière. J'ai couru vers lui jusqu'au coin de la grange parce que je le guettais.

« Il m'a dit en relevant ses moustaches blanches, content de me faire plaisir :

« — Petite, je crois bien que j'ai quelque chose pour toi !

« Il a appuyé sa bicyclette contre le mur. Il a cherché dans sa sacoche de cuir. Il était vieux, y voyait mal. Il aurait dû porter des lunettes. Il a cherché dans le paquet de lettres. J'ai vu la mienne. Mais j'en ai aperçu une autre avec la même enveloppe bleue. Elle portait la même écriture adressée à Hélène Blanchard. Je me suis retenue de crier. Le père Debien n'a rien vu. Je venais de comprendre pourquoi les lettres de Fabien me laissaient à chaque fois un goût amer.

« J'ai continué à lui écrire, rien que pour moi. Nous lui avons expédié des colis. J'ai épié la sacoche du père Debien et j'ai surpris, une autre fois, une enveloppe qui n'était pas pour moi.

« Je n'ai jamais été aussi élégante et mince que pendant la guerre. On l'a attribué aux privations. C'était le bon moyen de ne pas se poser d'autres questions. Je peux te dire que la nouvelle de la mort de Fabien, trois mois avant la fin de la guerre, a été pour moi une libération... Officiellement, c'était toujours moi qu'il aimait : nous étions fiancés. Je me suis habillée en noir et j'ai pu montrer, enfin, le chagrin de l'avoir vraiment perdu. Hélène Blanchard l'a pleuré aussi, je l'ai vue à la cérémonie d'enterrement, un an après, au milieu de l'assistance, quand on a rapatrié le corps, moi j'étais au premier rang. Oh ! elle n'a pas pleuré longtemps, puisque l'année suivante elle épousait un bon parti, le fils de l'épicier en gros du Bourg.

— Tu as continué d'exposer la photo de Fabien. Tu as pu la regarder en face tous les jours ? demande doucement Marie, et c'est autant une remarque qu'une question.

— Pourquoi pas ? Est-ce que je n'en avais pas le droit ? Est-ce que je ne l'avais pas mérité ?

— Tu aurais pu aimer quelqu'un d'autre, suggère Marie qui sent sa poitrine s'enflammer.

— Je ne sais même pas si j'aurais été heureuse d'épouser Fabien, même s'il ne m'avait pas trahie. Il était désormais le mari idéal. Il m'épargnait les désagréments de l'amour.

Marie tousse. Elle pense qu'elles sont sœurs, et qu'elle ne se souvient pas du commis boulanger qu'elle n'a même pas vu. Est-ce qu'elle n'avait pas peur de l'amour, elle aussi ? Elle faisait croire qu'elle se sacrifiait pour sa famille. Elle se recroqueville dans sa couverture. Aminthe masse son estomac qui gargouille.

— Peut-être que tout cela est la conséquence de l'accident de maman, conclut-elle.

Le fantôme des deux petites filles au chapeau noir plane dans l'habitacle de la 4L. Marie cherche discrètement sa poire dans son sac. Elle s'oblige à penser à autre chose, s'intéresse à Pompon. « Mon Dieu, il doit trouver le temps long, tout seul, dans la maison. Il ne lui reste rien à manger ni à boire. Il est capable de faire des saletés exprès pour se venger. Heureusement que j'ai mis assez de grain aux pigeons avant de partir. C'était bien la peine d'aller les chercher pour les abandonner aussitôt dans leur cage. À moins que le petit ne soit allé les voir. Il est capable de sauter par-dessus le mur de l'école pour passer chez nous. » Elle enchaîne ses prières du soir, blottie sous sa couverture, mais elle n'arrive pas à donner du sens à ce qu'elle récite.

Le projecteur tournant du phare balaie la nuit de sa lumière blanche. Le vent du large se roule sur la tôle avec un bruit de pelage soyeux. De temps à autre, il gonfle ses muscles et secoue la voiture. Elles dorment malgré tout. La fatigue les plonge dans une inconscience hébétée, hantée de rêves où elles croient qu'elles roulent encore.

Aminthe, par exemple, se redresse en sursaut pendant la nuit. Elle vient de donner un violent coup de volant parce que la 4L fonçait vers les eaux troubles d'un canal. Il lui semble qu'elle a hurlé. Mais Marie dort. Les lampadaires sont éteints. La lumière blanche du phare tourne sur la mer. Sa confession de la veille lui revient à l'esprit.

« Qu'est-ce qui m'a pris de raconter tout ça ? Je suis folle ! Et ces saletés de chrysanthèmes qui puent ! »

Elle se touche l'estomac. Elle a faim. Elle bouge. Le mouvement réveille la douleur dans sa hanche. Elle coule dans un sommeil accablé.

Jeudi 31 octobre

Au petit jour le vent a cessé, le brouillard a tout
noyé.

La mer a disparu. On distingue à peine les
façades des villas du front de mer. Le grondement
des vagues est ouaté, mais l'humidité sent le sel.
Un homme en bleu pédale sur la route. La dynamo
frotte contre le pneu et gémit. Sa lumière est faible,
mais elle le rassure, même si les automobilistes ne
peuvent pas la voir. Il a noué autour de sa gorge
une grosse écharpe de laine. Le brouillard mouille
son guidon, ses mains, sa figure. Des mouettes
volent au-dessus de lui, très bas, en poussant leur
cri aigu. Il tourne au boulevard de la Mer.

Il effectue ce trajet tous les matins, par tous les
temps, pour aller chercher son pain encore chaud à
la boulangerie. Il serre soudain la poignée du frein.
Le patin crisse sur la jante. L'homme recule, le
pied sur le trottoir, scrute à travers le brouillard. Il
reconnaît cette 4L, vert d'eau terni. C'est celle des
vieilles qui lui ont demandé une pompe à essence,

la veille. Leur voiture est bien mal garée. Il hésite, et puis disparaît tout doucement dans le brouillard.

Il revient dix minutes plus tard. Son sac de plastique jaune illustré d'épis renferme son pain sur son porte-bagages. Il met pied à terre, bloque son vélo par la pédale contre le trottoir. Il rectifie la position de sa casquette en s'approchant à pas prudents de la 4L. Il s'use les yeux à essayer d'y voir à travers la buée et le brouillard qui fardent les vitres. Il resserre le nœud de son écharpe et se décide à passer la main sur le pare-brise. Il voit Marie la tête rejetée sur le dossier, bouche tragiquement ouverte, ensuite Aminthe recroquevillée sur la banquette arrière devant des chrysanthèmes. Leur serait-il arrivé malheur ? La poitrine des femmes se soulève : elles respirent.

Qu'est-ce que ces deux vieilles sont venues bricoler ici par un temps pareil ?

Il recule, vérifie les numéros du véhicule :

— Des Vendéennes !

Il frappe à la vitre.

— Alors, grands-mères, c'est l'heure de se réveiller, maintenant !

Marie sursaute, ouvre les yeux, tout engourdie, se redresse, regarde autour d'elle. Elle se retourne.

— Aminthe ! Aminthe !

— Qu'est-ce qu'il y a ?

— Regarde...

L'homme essaie d'ouvrir la portière, mais les femmes ont pris la précaution de la verrouiller.

— N'ayez pas peur, les rassure la voix tranquille de l'homme en bleu. C'est à moi que vous avez demandé une pompe à essence hier soir.

Marie, qui retrouve peu à peu ses esprits, reconnaît la figure hâlée de la veille.

— J'ouvre ?

— Si tu veux.

— J'ai reconnu votre voiture en allant chercher mon pain, s'excuse l'homme. Vous n'avez peut-être pas trouvé d'essence et vous avez dormi là ?

Marie hoche la tête.

— Il ne fallait pas passer la nuit comme ça. Les maisons ne manquent pas ici pour vous accueillir ! leur reproche-t-il aimablement.

Il se retourne et prend à témoin des passants qui s'arrêtent à leur tour et s'attroupent autour de la voiture.

— Ce n'est pas prudent de prendre des risques comme ça à vos âges !

— Qu'est-ce que vous en savez, de nos âges ? grince Aminthe du fond de la voiture.

Elles hésitent à descendre. Elles imaginent leurs figures pâles et chiffonnées après cette deuxième nuit dans leur 4L. Elles se font l'effet de spectres surgissant du brouillard. Marie, la première, en prend l'initiative, surprise par la fraîcheur, elle se pelotonne dans le plaid. Aminthe la suit, sort ses grosses jambes enveloppées du pantalon pied-de-poule, grimace, s'aide des bras pour soulever son lourd derrière. Des mains se tendent pour l'aider.

— Laissez-moi faire ! grogne-t-elle.

Ils les font asseoir sur le muret.

— Vous êtes en panne ? Ne vous inquiétez pas, on va vous trouver de l'essence. Voulez-vous me confier vos clés de voiture ? leur demande l'homme au pain.

D'autres les accompagnent à la proche auberge du Bain des Fleurs. Elles se laissent conduire, elles répondent aux questions. Elles se retrouvent assises devant une table, des bols de café fumant, une corbeille de pain, du beurre et de la confiture. Elles n'ont jamais rien mangé d'aussi bon. Les lampadaires du boulevard esquissent le croissant de la plage de Châtelaillon dans le brouillard.

Des portières claquent dehors. Leur 4L vient de se ranger devant l'auberge du Bain des Fleurs, mais derrière elle s'arrête le fourgon bleu de la gendarmerie. Deux gendarmes en descendent. Marie et Aminthe qui sentent leurs jambes devenir comme du coton s'arrêtent de manger.

Les deux hommes en uniforme au visage frais, rasé, rose, s'approchent d'elles et s'assoient près de leur table.

— Alors comme ça, dit le plus âgé, le plus épais et le plus petit aussi, vous vous êtes perdues ?

Elles hochent la tête. Les gendarmes ont l'air embarrassé. Ils n'ont rien de menaçant s'interrogent du regard. Ils leur parlent comme s'ils s'adressaient à leur grand-mère.

— Est-ce que vous avez de la famille que nous pourrions prévenir ? demande le plus jeune.

Marie regarde vivement sa sœur et répond avec aplomb :

— Non.

— Vous n'avez pas un frère, des neveux ? Vous êtes toutes seules, toutes seules ?

— Oui.

— Attention, intervient le gendarme qui flaire l'entourloupe, nous pouvons savoir. Donnez-nous votre permis de conduire.

— Si vous n'avez personne, ajoute le plus vieux, c'est nous qui vous reconduirons.

Marie imagine leur arrivée rue Chanzy dans le fourgon des gendarmes, interroge de nouveau sa sœur des yeux.

— Nous avons un frère, reconnaît-elle rougissante, mais nous ne nous entendons pas très bien !

— Il a des enfants, qui conduisent, et peuvent venir vous chercher ?

Elle hoche la tête.

— Quelle est leur adresse ? Vous connaissez peut-être leur numéro de téléphone ?

La mémoire de Marie s'embrouille avec les chiffres, Aminthe la corrige.

— Eh bien, voilà ! fait le gendarme qui a sorti son carnet. Nous allons les appeler, et vous n'avez plus qu'à attendre, ici bien au chaud, qu'ils vous ramènent avec votre voiture chez vous.

Ni l'une ni l'autre n'ont le courage de s'y opposer. Elles regardent les gendarmes entrer et sortir. Elles les entendent dire que tout est réglé. Leurs

162

deux neveux devraient être ici en fin de matinée. La brume a presque totalement fondu et un soleil caillé d'automne la remplace, découvrant la promenade et la baie.

— Les chrysanthèmes, se lamente Marie, dans quel état sont-ils ?

Le patron du Bain des Fleurs rechigne à leur remettre les clés que les gendarmes lui ont confiées.

— Vous me les rapportez tout de suite, sinon je me ferai attraper.

Les chrysanthèmes sont fatigués, eux aussi. Leurs têtes lourdes s'inclinent. Leurs feuilles se fanent.

— Quand je pense que je les soigne depuis six mois !

Elles demandent de l'eau. Une petite serveuse apporte un arrosoir qui inonde le coffre mais elles ne s'en soucient pas. Elles rendent les clés et disent :

— On va marcher sur la promenade, il fait beau.

Elles traversent le boulevard de la Mer et marchent sur le trottoir jauni par la poussière de sable. Elles ne se disent rien. Les vagues d'automne meurent tout près presque en silence et lavent la grande plage. Une mouette posée sur le muret de pierre les regarde s'approcher et ne s'envole pas. Marie ralentit pour attendre sa sœur. Et elle sent la main d'Aminthe la tirer par la manche, s'agripper à son bras, s'insinuer, s'appuyer sur elle.

— Je marcherai mieux en me tenant à toi.

— Si tu es fatiguée, on peut retourner.

— Je n'ai pas dit ça.

La mouette regarde leur couple passer devant elle. Les plumes gonflées de son jabot frissonnent au vent. Autrefois, quand elles étaient petites, les deux sœurs se déplaçaient toujours ainsi, bras dessus, bras dessous. Aminthe appelait sa grande sœur en criant : « Attends-moi ! », et s'accrochait à son bras. Chaque rue qui débouche sur le boulevard a son nom écrit en mosaïque dans le trottoir. Elles font demi-tour à la rue des Bons-Enfants. L'horizon se rétrécit sur la mer. Une montagne de nuages violacés s'avance. Le vent grandit avec elle, s'enfle et secoue les tamaris.

Au Bain des Fleurs, on leur a servi un plat de moules marinières. Les portières claquent sans cesse dans la rue autour du restaurant. À chaque fois, les deux sœurs sursautent, en scrutant la vitre. Les tables se remplissent. Un gros chien noir aux oreilles cassées sort à pas de vieux de la cuisine et se couche sur le carrelage auprès d'elles, le museau entre les pattes.

Et soudain, ils sont là en compagnie des gendarmes, René et ses deux fils. L'apparition des uniformes interrompt les conversations autour des tables. Aminthe et Marie repoussent leurs assiettes, prennent leurs sacs et leurs manteaux.

— Nous n'avions pas besoin d'un régiment ! lance Aminthe à son frère.

— Eh ! il faut bien deux chauffeurs pour ramener votre voiture et la nôtre ! réplique-t-il.

Puis, rajoute en serrant les dents :

— Vous on peut dire que vous n'en ratez pas une !

Les deux gendarmes sont accompagnés d'un petit homme frisé à l'index coupé, Guillot, journaliste à *Sud-Ouest*. L'histoire des deux sœurs l'amuse. Il sourit en tirant sur sa cigarette.

— On leur propose d'aller vivre dans une confortable maison de retraite où elles auraient du monde pour s'occuper d'elles, non monsieur, lui dit René, elles préfèrent rester toutes seules dans leur grande maison où elles s'ennuient et se conduisent comme des enfants !

Elles s'installent dans leur voiture devant un rond de spectateurs. Aminthe s'assied à côté de son neveu qui a pris le volant, Marie derrière. René est monté dans la voiture de son fils. Il remercie encore, la vitre baissée, les gendarmes, le patron du Bain des Fleurs, tout le monde.

— Elles sont solides ! D'autres, à leur place, ne tiendraient plus debout !

La 4L se range au bord du trottoir de la rue Chanzy quand Marie, qui a dormi, ouvre les yeux.

— J'ai l'impression que nous sommes parties de chez nous depuis six mois !

Les deux sœurs restent un moment immobiles à considérer comme une amie leur maison au crépi noirci, couleur de champignon, ses parements de briques brunes, ses volets clos. Le neveu les décide en ouvrant la portière.

— Allez voir à l'intérieur si rien ne manque.

Marie brandit sa clé qu'elle a sortie de son sac depuis le départ de Châtelaillon. René et ses fils ne rentrent pas. Ils prétextent leur travail et leurs occupations, montent dans leur voiture et disparaissent sans plus attendre, après avoir salué.

Le grand corridor est froid, sombre. Marie entrouvre à peine la porte de la cuisine que Pompon fonce sur elle la queue frétillante, miaulant aigre, furieux de ces deux jours d'abandon et de repas manqués. Il lui cerne les jambes, les heurte.

— Arrête ! Tu vas me faire tomber ! Oui, je comprends, tu me reproches de t'avoir abandonné. Mais je ne t'ai pas oublié. Une seconde, je vais te donner à manger.

Elle pousse les contrevents de la rue, marche jusqu'au fourneau.

— J'en étais sûre ! Il s'est vengé. Il a fait ses besoins sur la plaque de la cuisinière !

Elle s'empresse d'ouvrir la fenêtre de la cour, chasse du pied Pompon qui la presse de son dos rond.

— Allez ouste, va prendre l'air ! lui commande-t-elle. Tu mangeras après ta promenade dans le jardin !

Mais elle sort bien vite l'ouvre-boîte du tiroir et va chercher dans la provision de conserves. Son manteau et son sac sont oubliés sur une chaise. Elle sort le balai-brosse et la serpillière lorsque Mme Jeanne-Marie pousse discrètement la porte.

— Mademoiselle Marie ! s'écrie-t-elle. On peut dire que vous nous avez donné du souci !

La directrice de l'école a l'air sincèrement émue. Elle s'approche de Marie comme pour l'embrasser et lui pose affectueusement les mains sur les épaules.

— Où étiez-vous passées ?

— Si je vous le raconte, chuchote Marie levant les yeux au plafond, vous ne me croirez pas. Mais il faut d'abord que je nettoie ma cuisine.

— Mlle Aminthe est là-haut ? demande Mme Jeanne-Marie tout bas.

Marie hoche la tête. Mme Jeanne-Marie tire sa chaise habituelle et s'y assoit.

— Nous nous demandions sérieusement ce que vous étiez devenues. Tout le quartier était inquiet, même des gens des immeubles que vous ne connaissez pas.

— Vous exagérez !

— Vous le demanderez à Pierrot qu'on a autorisé, cette fois, à escalader le mur de la cour de récréation pour aller voir dans le jardin si vous n'étiez pas tombées quelque part.

— Je le savais ! s'exclame Marie. Je pensais qu'il allait enjamber le mur.

— Il a vu par le carreau que votre voiture n'était pas là. Cela nous a un peu rassurés.

— Vous n'avez pas prévenu les gendarmes ?

— Non, nous l'aurions certainement fait si vous n'étiez pas arrivées ce soir. Vous n'avez pas froid avec votre fenêtre ouverte ? demande Mme Jeanne-Marie pelotonnée et se frottant les bras.

— Si, mais je chasse les odeurs du chat.

— Voulez-vous que je frotte votre cuisinière ?

— Si vous voulez m'aider, allez donc plutôt chercher du bois et du charbon, cela m'avancera.

Quand Mme Jeanne-Marie revient, Pierrot est là avec son père, un homme jeune, dégingandé, les cheveux coupés court comme les gendarmes de Châtelaillon, puisqu'il est gendarme lui-même. Mais il n'est pas en tenue, son survêtement moule sa poitrine d'athlète. Il piétine dans ses baskets près de la porte tandis que Pierrot s'adresse à Marie qui frotte la cuisinière.

— Tu aurais pu nous prévenir que tu t'en allais. Nous avons cru que tu étais morte.

— Cela arrivera, mon petit, mais non, pas cette fois, tu vois que je suis bien vivante.

— Où tu étais ? insiste-t-il, et sa main effleure le dos de la grand-mère. Pourquoi tu ne m'as pas emmené avec toi ?

Marie ne répond pas. Pierrot lui donne des petits coups dans les reins.

— Tu m'écoutes ?

Son père intervient :

— Pierrot, tu laisses un peu Mlle Marie tranquille !

— Elle ne me répond pas ! répond Pierrot avec des sanglots dans la voix.

Marie entoure Pierrot avec son bras :

— Si tu allais montrer nos pigeons à ton papa, et leur donner à manger et à boire ?

À ce moment-là, le corridor bourdonne de voix et deux gendarmes en uniforme entrent dans la cuisine. Marie pâlit et interroge Mme Jeanne-Marie du regard, ses prunelles de bleuet disent : « Vous m'avez donc menti ? » Mme Jeanne-Marie secoue la tête. Pierrot s'interpose devant la grand-mère comme un petit soldat qui fait barrage de son corps.

— Vous voici donc arrivées à bon port, constate le gendarme aux grosses moustaches filasse en consultant son carnet. Les collègues de Châtelaillon nous ont avertis. Vous étiez deux. Vous c'est...

— Marie.

Il cherche la seconde.

— Aminthe est fatiguée, intervient Mme Jeanne-Marie, elle se repose en haut dans sa chambre.

— Vous voulez que je lui dise de descendre ? demande timidement Marie.

— M. le sous-brigadier Raballand n'a pas besoin de la déranger, puisque nous témoignons de sa présence ! s'adresse en souriant le père de Pierrot à son collègue. Elle a du mal à marcher, ce n'est pas la peine de la faire souffrir davantage !

— Tout est rentré dans l'ordre, déclare le sous-brigadier qui lève la main pour dire que le témoignage du père de Pierrot lui suffit, ferme son calepin et se prépare à partir. La 4L est dans la rue. Vous allez la rentrer dans le garage. Il serait peut-être bon d'arrêter de conduire...

Il parle à Marie comme à une enfant. À chacun de ses mots, elle se fait plus petite. Le père de Pierrot tire son collègue par la manche de son uniforme et l'entraîne dehors. Des voisins curieux, alertés par l'agitation, entrent prendre des nouvelles et offrent leurs services.

— Ça va, soupire Marie, merci. Mais laissez-moi, maintenant. Vous me faites tourner la tête !

Mme Jeanne-Marie les raccompagne à la porte.

— Vous reviendrez un de ces jours. Elle vous offrira le café.

Il ne reste plus que Pierrot qui balance ses jambes sous sa chaise, les mains sous les cuisses, et regarde Marie en souriant. Le carillon sonne au-dessus de sa tête. Mme Jeanne-Marie revient :

— Vous voyez qu'on tient à vous !

— Et si nous le prenions maintenant, ce café ? propose Marie malicieuse.

Elle rajoute du charbon dans la cuisinière. La bouilloire, qu'elle a remplie comme d'habitude, chuinte déjà doucement. Elle prend un paquet de galettes sur l'étagère du fruitier, se dirige vers l'escalier.

— Aminthe ! Tu viens boire le café !

La nuit arrive vite avec, dans ses bagages, le tapage du vent dans les branches du cèdre. La gouttière se plaint contre le mur. Le portail claque au loin. Le café répand son arôme de vie. Pompon a rejoint son poste sur le carillon, sa queue ondule devant le cadran.

Vendredi 1er novembre

Le réveil est pénible. La fatigue pèse dans tous les membres endoloris.

Marie reste blottie sous les couvertures jusqu'au lever du jour. Dès qu'elle sort le nez, elle sent circuler les haleines de la maison encore froide. Sa mère est toujours là, qui la regarde dans son cadre. Marie détourne la tête et n'ose pas lui parler. Elle geint en glissant les pieds sous la boule chaude de Pompon enfoncé dans le couvre-pieds.

C'est l'appel de la première sonnerie des cloches de la Toussaint à l'église qui la décide à glisser ses jambes hors du lit. Elle se hâte en chemise, voûtée, rétrécie, toussotante, vers la fenêtre où filtre le jour gris. Elle pousse les volets et rejoint son lit aussi vite que les douleurs de cette aube le permettent.

— Encore un peu ! murmure-t-elle en se glissant dans le fourreau des draps.

Pompon n'a même pas daigné redresser la tête. Le vent de la veille s'est noyé dans le molleton des nuages. Un air de son enfance lui remonte à l'esprit :

Voici la Toussaint grise
Les mauvais jours sont revenus...

Elle cherche la silhouette du cèdre à travers la brume, mais il est invisible. Elle se rappelle les deux vieilles marchant dans le brouillard sous les lampadaires de Châtelaillon.

Elle pense à Roger Delaire. Elle se demande s'il ne lui a pas proposé de l'emmener sur sa moto. Maurice Billaud n'a pas dit s'il vivait encore. « Si donc il est encore en vie, il doit être passablement défraîchi, mon amoureux ! » Elle a honte de ces pensées idiotes sous le regard triste de sa mère qui semble les deviner.

Elle attrape son foulard pour le nouer sur sa tête.

— Allez, debout !

Aminthe joue de l'harmonium à la messe de la Toussaint dans la chapelle de l'école Jeanne-d'Arc. Mais elle n'est pas dans son assiette. Le vieux prêtre, qui célèbre, a déjà dû se tourner deux fois vers son organiste pour lui demander la note. D'ordinaire, elle le talonne toujours, joue avec emphase, considérant qu'il y va de sa réputation de plaquer les accords avec fermeté. Ce matin, elle a perdu de sa superbe. Elle rentre le menton dans la poitrine, les paupières baissées, avec sur le visage un inquiétant reflet vert-de-gris. Les fidèles s'interrogent et Mme Jeanne-Marie s'inquiète :

173

— Elle est malade ! Elle n'est pas remise de son voyage !

Sa tête paraît si lourde qu'on dirait qu'elle va piquer en avant. Elle n'a pas la belle énergie qui la dresse d'habitude et lui fait regarder fièrement le monde.

L'après-midi se passe dans la cuisine. Marie lit les avis d'obsèques. D'habitude, elle dévide tout haut les fils qui relient le mort couché sur le papier à un grand nombre de défunts complètement oubliés, sauf d'elle, et à quelques vivants. Elle cite les villages de leurs origines, et découvre souvent à ces morts de lointains liens de parenté avec elles.

— Un cousin avec un nom pareil ? soupire Aminthe, perdue dans la jungle des générations.

Marie rétablit les croisements et les liens de ce défunt, reconstitue les arbres généalogiques.

— Arrête, tu me fatigues, je ne te suis plus !

Aujourd'hui, elles se taisent et feignent d'être plongées dans leurs lectures. En réalité, elles s'en veulent de ce qui s'est passé et rejettent sur l'autre la responsabilité de leur mésaventure. Elles rabâchent des images de ces deux jours comme un cauchemar. Mais ce sont surtout leurs paroles qui dressent un mur entre elles.

Aminthe, qui ne s'intéresse qu'aux gros titres de l'actualité, a tourné distraitement les pages du journal et ouvert un livre. La brume grise de la Toussaint ne s'est pas levée et, à mesure que le jour s'avance, les nuages collent à la terre. Marie se lève allumer la lumière.

174

— C'est un triste jour de fête, commente-t-elle le nez au carreau, l'œil égaré dans le gris du dehors. Pour la première fois, ils n'auront pas nos chrysanthèmes à Sainte-Flaive et à La Chapelle.

— Et alors ? grince Aminthe dérangée dans sa lecture, il fallait bien que ça arrive un jour. Ça ne les fera pas mourir ! Crois-tu que quelqu'un se souciera de leurs tombes quand nous ne serons plus là ?

— Qu'est-ce qu'on va faire de ces chrysanthèmes ?

— Donne-les à l'école. Mme Jeanne-Marie demande toujours des fleurs pour sa classe.

— Non, on ne va pas donner des fleurs des morts à une école. Les enfants auront peur.

— Ce que tu peux être démodée ! Les enfants d'aujourd'hui ne savent pas que les chrysanthèmes sont les fleurs des morts. Ils ne savent pas non plus d'ailleurs ce que c'est que la Toussaint.

Aminthe soupire. Le feu ronfle en sourdine dans la cuisinière. La bouilloire crache un râle de fumée. Le temps s'étire. Marie s'assoit pour lire encore quelques annonces mortuaires, relève le nez.

— Qu'est-ce que tu as encore à me regarder ! gronde sa sœur.

Pierrot frappe au carreau à l'aube du lendemain. D'habitude, c'est l'après-midi. Marie trotte à la fenêtre et ouvre à l'écolier, le cartable sur le dos, la tête coiffée d'un bonnet de ski.

175

— Qu'est-ce qui t'arrive ? demande-t-elle. Tu passes nous dire bonjour en t'en allant à l'école ?

— Il n'y a pas d'école. C'est les vacances !

Un large sourire complice l'éclaire.

— Je m'en allais chez ma gardienne et j'ai filé parce que j'ai quelque chose pour vous.

Aminthe, qui prend son petit déjeuner, grogne :

— Marie, le froid entre. Va à la porte !

Le souffle du petit gonfle une boule de buée devant sa bouche. Marie ferme la fenêtre, court à la porte.

— Tu as quelque chose pour nous ?

— Oui, une surprise ! Vite, sinon je vais me faire attraper par Mme Aumont !

Pierrot tourne le dos à Marie.

— Cherche dans mon cartable. J'y ai mis le journal de papa, prends-le : il y a quelque chose qui vous intéressera.

Elle ouvre le sac sur ses épaules, en tire le journal. Pierrot repart en courant.

— Tu verras, lui crie-t-il, c'est formidable ce qu'ils racontent !

Elle trouve son étui à lunettes, étale le journal sur la table près du bol de sa sœur qui continue de manger, indifférente à la relation de sa sœur avec le gamin. Et puis après avoir tourné les pages, elle voit en page d'informations locales le gros titre : *Deux Yonnaises naufragées de la route.* Et elle commence à lire suffoquée, à voix haute, pour Aminthe : *Deux Yonnaises parties en 4L porter des fleurs au cimetière errent pendant deux jours et*

deux nuits. On les a retrouvées perdues à Châte-
laillon en Charente-Maritime...

Aminthe ne la croit pas d'abord. Mais comme Marie continue, elle se lève et lit par-dessus son épaule. Elle se souvient de ce journaliste frisé à l'œil en vrille qui fumait des cigarettes. Elles ne se sont pas méfiées parce qu'il écrivait dans le journal *Sud-Ouest*. Le journaliste a ramassé tout ce qu'elles ont dit : les dragées, les galettes bretonnes..., tout, tout y est !

— C'est toi qui as parlé de l'eau des chrysanthèmes que nous avons bue ?

— Peut-être. Les dragées, c'est toi !

— Si on voulait un diplôme d'imbécillité, on l'a. Tout La Roche va se moquer de nous. C'est le maire qui va être content. Il n'aura pas de peine à trouver des arguments pour nous faire partir. Tu vas voir, lui et ses acolytes ne vont pas tarder à sonner à notre porte !

Aminthe s'en va dans le corridor, le dos rond, traînant lourdement la jambe, le madras de nuit bariolé sur la tête.

— Le gosse a trouvé ça bien, lance Marie pour se rassurer. Sinon il ne nous aurait pas apporté le journal.

— Qu'est-ce que tu dis ? hurle Aminthe. Tu es aussi sotte que lui ! Maintenant notre réputation est faite. Nous sommes gagas. Il ne reste plus qu'à nous enfermer à l'asile !

Le lendemain, de nouveau, Pierrot frappe à la fenêtre à la même heure.

— C'est le facteur ! clame-t-il joyeusement. Je vous apporte le journal !

— Tu nous l'as déjà donné hier.

— Pas celui d'aujourd'hui.

— Ce n'est pas vrai ! s'exclame Marie.

Les autos passent avec leurs gros yeux blêmes allumés. Le souffle de Pierrot monte en fumée autour de son bonnet.

— Vite ! Mme Aumont va me pincer !

Marie n'a pas le courage d'aller ouvrir la porte du corridor. Pierrot s'assoit sur l'appui de fenêtre pour qu'elle puisse prendre le journal dans son dos.

— C'est dommage, dit-il, ils n'ont pas mis la photo de votre 4L !

— Tu te moques ?

— Non, j'aurais voulu être avec vous...

Aminthe ne laisse pas à sa sœur le temps de refermer la fenêtre. Elle attrape le journal au vol, de la pire humeur. Pompon en a fait les frais tout à l'heure quand il s'est approché. Elle a mal partout. Elle, qui dort d'habitude comme une souche, a passé une très mauvaise nuit. Elle tourne hâtivement les pages. Cette fois l'article n'est pas dans les informations locales. Il occupe la dernière page magazine du grand quotidien régional.

L'odyssée incroyable de deux vieilles dames.

Le journaliste y est allé de bon cœur. On lui a laissé la place pour ça. Leur aventure est racontée sur trois colonnes. Elle commence par l'histoire de

178

deux vieilles dames qui vivent dans une rue tranquille de La Roche-sur-Yon et qui cultivent dans leur jardin les chrysanthèmes de la Toussaint. Elles prennent la route un après-midi vers un cimetière qu'elles n'ont jamais rejoint... Aminthe a du mal à réaliser qu'il s'agit d'elle. Elle se pousse pour permettre à sa sœur de lire à son côté. Les oreilles lui sifflent. Les lignes dansent devant ses yeux.

— Ce n'est pas possible ! murmure-t-elle.

Elle reste anéantie sur sa chaise.

— C'est sans doute ce qui pouvait nous arriver de pire. Le pire, c'est le ridicule. Notre « odyssée incroyable » va peut-être se raconter à la télé. Ils n'ont plus qu'à nous empailler !

— Ils peuvent écrire ce qu'ils veulent, qu'est-ce que ça fait ? On ne saura qu'au bout de la rue qu'il s'agit de nous. Et puis c'est comme ça, elle nous est vraiment arrivée, cette « odyssée » ! dit Marie.

Elle va prendre le dictionnaire au coin de la hotte de la cheminée. Elle cherche odyssée. Elle sourit :

— *Odyssée : voyage mouvementé, riche d'incidents et de péripéties comme celui d'Ulysse dans l'épopée d'Homère* !

— Tu es complètement folle ! Tu verras comment les gens riront tout à l'heure quand tu iras chercher ton pain !

Marie s'éloigne, blessée, tourne le bouton de la radio qui est arrivée au bout des informations, ouvre le paquet de poireaux enveloppés dans un journal.

179

— Tu pourrais peut-être m'aider à nettoyer les poireaux du déjeuner, toi qui es si intelligente ?

Elle pousse vers Aminthe des pieds de poireaux, un couteau. Aminthe, depuis le voyage, souffre d'arthrose jusque dans le poignet et les doigts. La bonne mine de sa sœur d'habitude souffreteuse l'exaspère. On dirait que leur périple ne l'a pas fatiguée. Elle ne tousse plus, respire bien. C'est vrai que Marie a pris de l'aplomb. Aminthe se pose la question : « Est-ce elle qui est plus forte, ou moi qui le suis moins ? Peut-être est-ce à cause de cette histoire de commis boulanger ? Peut-être à cause de ce secret que je lui ai confié ? »

Marie, qui trotte jusqu'à Aminthe pour prendre les poireaux qu'elle a préparés, lit la méchanceté dans ses yeux et lance, l'air désinvolte pour se venger :

— D'ailleurs, ce journaliste ne raconte presque rien. S'il avait entendu tout ce qui s'est dit dans la voiture !...

Aminthe crie, folle de rage, et lance le paquet d'épluchures qui tombent en pluie sur la tête, la figure et les épaules de sa sœur.

Après quelques secondes de stupeur, Marie nettoie ses vêtements, secoue son foulard, essuie son visage, enjambe à reculons les détritus qui l'entourent sur le carrelage. Mais elle est pâle. Elle fixe sa sœur, les yeux remplis de larmes.

— Eh bien... puisque tu es méchante avec moi... je vais te dire la vérité...

— Quelle vérité ? fait Aminthe encore enflammée par la colère.

— Au sujet de Fabien...

— Quoi, Fabien ?

Tandis qu'elle pose cette question, Aminthe sent sa peau tirer sur sa figure. Elle sait que le sang s'en va de ses joues. Un frisson la parcourt jusqu'à la racine des cheveux. Elle voudrait encore crier à sa sœur de se taire. D'ailleurs, Marie hésite. Mais elle en a trop dit. Plus rien ne peut l'arrêter.

— J'ai su que Fabien écrivait à Hélène Blanchard dès le printemps 1940. Il n'était pas encore prisonnier. Le facteur est passé un matin plus tôt que d'habitude. Tu étais partie porter le lait chez le forgeron, tu pensais bien être de retour pour guetter le courrier. Je me souviens, le mimosa au bout de la grange était en fleur...

Marie s'essuie les yeux, les joues, avec son mouchoir. L'histoire qu'elle raconte a le mérite de tarir ses larmes.

« — Petite, est-ce que je peux te donner la lettre de ta sœur ? Tu ne la liras pas au moins ? » Il a ajouté : « Il écrit beaucoup ce Fabien Ballanger. Il doit s'ennuyer. » Je lui ai demandé : « Vous voulez dire qu'il écrit à quelqu'un d'autre ? — Je n'ai rien dit, et ce que les gens écrivent ne me regarde pas. Mais un beau gars comme lui devrait faire attention. On reconnaît les écritures. » On était sur le seuil, sous la treille. J'ai encore demandé, et le cœur me sautait dans la poitrine, comme si j'avais posé la question pour moi : « Ce ne serait pas du

181

côté de la Blanchardière que vous portez les lettres ? — Je porte les lettres là où m'indique l'adresse. Mais c'est vrai qu'elle est jolie comme un bouquet, cette Hélène. » Le père Debien avait trois fois mon âge, mais je l'ai pris par la manche de sa vareuse. « Si vous parlez de ça à Aminthe ou à quelqu'un d'autre, père Debien, ce sera un grand malheur ! — De quoi ? s'est défendu le vieux filou, mais je n'ai rien dit ! » Je l'ai menacé sans rire : « Vous m'entendez, ce sera un grand malheur. » Il a haussé les épaules. Il a enfourché son vieux vélo en marmonnant. Tu es arrivée peu après. Tu as vu ta lettre sur la table, tu étais contente. Tu t'es sauvée pour la lire...

— Il n'a rien dit, articule Aminthe la voix blanche. Il était pourtant bavard.

— J'ai su après que tu savais, poursuit Marie dont les yeux brillent comme du métal, parce que tu n'as plus été la même avec Hélène Blanchard. Tu n'as plus supporté de la voir. Quand tu étais à l'harmonium le dimanche et que ton regard rencontrait celui d'Hélène, il devenait noir. Il ressemblait à celui que tu m'as lancé tout à l'heure..., ajoute Marie plus bas et les larmes roulent à nouveau dans ses yeux.

— Tu avais vu ça..., murmure Aminthe comme dans un rêve.

— Oui, j'ai vu, parce que je savais.

— Et tu ne m'as jamais rien dit...

— Tu aurais été malheureuse.

— Tu m'as laissée jouer la comédie.

182

— Tu la jouais si bien que quelquefois je me demandais si le facteur ne m'avait pas menti...

Aminthe s'arc-boute sur la table pour se lever. Elle se sent tout d'un coup tellement faible. Elle chancelle. Marie bouge pour l'aider. Aminthe la repousse. Elle déplace enfin son corps trop lourd. Le poignet appuyé sur la table, elle dit :

— Je vais chercher le balai pour nettoyer ces saloperies.

— Laisse... Va te reposer. Ce ne sera rien pour moi.

L'amabilité de sa sœur lui donne encore du dépit. Mais elle se tait et se dirige lourdement vers le corridor avec sa canne accompagnée de Marie comme une enfant. Quand elle arrive à la première marche, elle tend la main pour saisir la rampe.

— Veux-tu que je t'aide ? propose sa sœur après son cri de souris.

— Fiche-moi la paix ! De toute façon, tu ne me servirais à rien. Si je tombais, tu tomberais avec moi !

Elle s'agrippe à la balustre, reprend haleine entre chaque marche. La sueur lui perle sur le front, lui coule dans les yeux. Marie ne bouge pas du pied de l'escalier pendant toute sa montée. Avant de disparaître sur le palier, Aminthe lui lance :

— C'est bon, tu peux t'en aller. Tu auras toujours été mon chien de garde, sainte Marie !

— Mais non, Aminthe, se défend Marie. J'ai toujours été jalouse de toi.

— Menteuse !

« Il faudrait qu'elle accepte de dormir en bas, pense Marie. Bientôt elle sera incapable de monter dans sa chambre. Nous avons intérêt à aller rapidement chez le notaire pour régler nos affaires comme nous l'avons décidé. S'il n'est pas trop tard ! »

La placidité du professeur de piano étonne sa petite élève pendant sa leçon. Mlle Aminthe n'a pas bougé de son fauteuil Voltaire lorsque la fillette est arrivée. Elle lui a montré le tabouret :

— Installe-toi, et joue.

Quand la petite accroche, elle commande :

— Recommence !

Ou bien :

— C'est faux. Reprends !

Le soleil d'hiver qui a succédé au brouillard plonge ses jambes d'or entre les embrasses de la fenêtre. Des paillettes de poussière y clignotent. Il fait beau. Un long fil d'araignée accroché aux franges ondule dans la lumière. La jeune pianiste arrive au bout de son morceau. La dernière note tombe comme une goutte d'eau et s'évanouit.

Aminthe est ailleurs. Elle songe à l'institution Saint-Joseph. Elle était la troisième de sa classe. Les demoiselles de Tinguy et de La Bassetière étaient imbattables, à cause de leurs origines, bien sûr. Les religieuses lui ont proposé de devenir institutrice après le brevet. Elle a refusé. Pourquoi ? Elle a rappliqué à la Limouzinière comme un chien

184

fidèle, à cause de l'accident. Elles auraient pu être des filles mieux que d'autres. Leur père les a tenues cachées. Après Fabien, c'est vrai, il aurait pu y avoir quelqu'un. Hélène Blanchard, elle, s'est vite consolée. « Moi, j'ai pris ses airs de veuve inconsolable. Nous nous sommes punies nous-mêmes. ».

La petite musicienne attend, immobile, les doigts caressant l'ivoire du clavier. Une raie droite sur sa nuque partage parfaitement ses cheveux qui reposent en deux tresses sur ses épaules. Elle hésite à se retourner. La vieille dame joue-t-elle au jeu cruel de l'observer de son regard noir ? Dort-elle ? Elle l'entend souffler fort derrière elle.

Aminthe découvre la figure claire de la fillette qui la dévisage.

— Excuse-moi, dit-elle, je réfléchissais.

Un frisson de rides légères glisse sur le front de l'enfant.

— Oui, ça m'arrive de penser. Allez, joue-moi le morceau suivant. Vas-y, gronde-t-elle, qu'est-ce que tu attends !

« A-t-elle lu les articles sur le journal ? s'interroge-t-elle. Elle pense peut-être que je suis devenue folle. »

La nuit suivante, elle dort comme une bûche, enfin. Et toutes les douleurs qui lui minaient chaque cellule se sont envolées au matin comme par enchantement. Elle se tourne dans son lit presque sans effort.

— Quand on a bien dormi, on a déjà gagné la moitié de sa journée !

Le sommeil a chassé les idées noires qui la harcelaient. Elle serait presque de bonne humeur. La pluie chante dans la gouttière. Aminthe repousse son lourd couvre-pieds de laine, presse machinalement les boutons de la télécommande. Les couleurs vives de l'écran s'animent dans la chambre. La voix triste du présentateur commente les images du monde.

— Ils nous embêtent avec leurs airs de pères la morale !

Elle coupe le son, regarde un moment le journal du matin, se tourne vers la commode. Fabien y fume toujours crânement la cigarette, le chapeau sur la tête.

— Pourquoi je t'enlèverais ? lui demande-t-elle. Il n'y a rien de changé entre nous... C'est trop tard. À nos âges, on ne divorce pas.

Elle lui adresse un sourire moqueur.

— Tu t'es foutu de moi pendant quatre ou cinq ans. J'ai fait de toi mon héros, un modèle de vertu, que j'ai pleuré pendant soixante. Lequel des deux a le plus trompé l'autre ? C'est à mon tour de rire !

Elle soupire, change de chaîne, revient au journal, éteint.

— Tu serais mort fidèle, vois-tu, j'aurais certainement été meilleure..., murmure-t-elle.

Elle presse l'olive du plafonnier, s'assoit au bord de son lit, enlève son madras de nuit et le jette sur le porte-photos.

— Tu m'embêtes !

Elle peine à se lever. Sa mauvaise jambe pèse lourdement sur le plancher.

— Tu n'es pas aussi brillante que tu le croyais, ma fille !

Lundi 4 novembre

Pierrot frappe à la fenêtre aux alentours de midi.
Marie est partie chercher le pain à la boulangerie.
Aminthe, renfrognée, lui parle à travers la vitre.

— Si tu viens nous apporter un journal et nous
annoncer encore une mauvaise nouvelle, ce n'est
pas la peine.

— Je peux entrer ? Il pleut.

Les grosses gouttes du toit pleuvent sur le bonnet de laine de Pierrot. Aminthe lui ouvre la porte
du corridor.

— Pourquoi n'as-tu pas pris ton capuchon, ce
n'est pas un temps à sortir comme ça !

— Je me suis sauvé de chez ma gardienne.

— Bravo ! Qu'est-ce que tu as ? Marie n'est pas
là !

Aminthe n'a pas l'habitude des enfants. Mais
elle voit que les yeux de Pierrot sont rouges, son
visage froissé par le chagrin.

— Regarde-moi ça, tu mouilles tout le carrelage.

— Méchante ! s'écrie Pierrot en se tournant vers la porte pour partir.

Aminthe l'agrippe rudement par l'épaule.

— Non, reste ! Qu'est-ce qu'il y a ?

Elle voudrait lui parler doucement. C'est plus fort qu'elle, il faut qu'elle rudoie les enfants. Pierrot secoue l'épaule pour se libérer.

— Tu es toujours méchante avec moi !

— Arrête, tu vas me faire tomber !

Elle se tient à la porte et lui barre le passage. Ils se mesurent des yeux à la lumière du jour pluvieux dans le corridor sombre. Elle serre maintenant le petit par le bras. Le front plissé de Pierrot manifeste une douleur plus grave qu'un banal chagrin d'enfant.

— Tu ne t'es pas sauvé de chez ta gardienne pour venir chez nous sans raison. Dis-moi ce que tu as.

Ses doigts relâchent leur pression. Il baisse la tête.

— Je voulais le dire à Marie.

— Elle n'est pas là. Dis-le-moi.

Elle aimerait s'accroupir pour lui parler à sa hauteur ; mais sa jambe l'en empêche. Elle sort son mouchoir.

— Essuie ta figure qui est mouillée.

Le petit lui obéit. Elle lui enlève son bonnet humide. Mais pendant qu'il s'essuie les joues, ses yeux s'emplissent de larmes.

— Alors..., lui murmure-t-elle pour entraîner la confidence.

— Maman a écrit. Elle n'est plus à la Guade-loupe. Elle est partie en Amérique.

— Et tu n'iras donc pas la voir comme elle te l'avait promis ? C'est ça ?

Pierrot hoche la tête, renifle. Elle le tire contre elle et éprouve un plaisir étrange à tenir le petit bonhomme.

— Quand ta mère sera installée là-bas, tu iras. C'est encore mieux, l'Amérique !

Le petit secoue la tête. Il ne croit plus personne. Aminthe pense : il va me tacher ma robe. Et puis, en caressant le crâne aux cheveux ras, elle propose :

— Tu ne connais pas mon île, à moi... Tu voudrais bien la découvrir. Veux-tu que je t'y conduise ?

Le petit recule la tête et la regarde, étonné.

— Mais à une condition, c'est que tu cesses de pleurer. Allez, essuie tes yeux. Regarde cette figure ! Si tu veux, on jouera du piano ensemble. Je te montrerai comment faire. Tu aimerais apprendre le piano ?

Il hausse les épaules en se croisant les doigts, les mains retournées.

— Je ne sais pas.

De profonds hoquets lui soulèvent encore la poitrine. Aminthe va chercher le balai et la ser-pillière qu'elle passe sur le carrelage mouillé.

— Tu vas enlever tes souliers, pour ne pas salir l'escalier.

Elle pose ses doigts sur ses lèvres.

— On ne dira pas à Marie que tu es monté.

Un pâle sourire éclaire le visage de Pierrot.

— Allez, suis-moi. Tiens-toi aux balustres, les marches sont glissantes en chaussettes. Tu remettras tes souliers là-haut. Je ne monte pas vite, excuse-moi, c'est à cause de ma patte folle.

Elle parle fort, elle s'en rend compte. « Il n'est pas sourd, pense-t-elle. Et il est assez intelligent pour se passer de ta comédie. » Elle se retourne sur le palier, essoufflée. Pierrot hésite.

— Oh ! ne t'inquiète pas, le rassure-t-elle, il n'y a rien d'extraordinaire chez moi. Mais c'est mon île, tu comprends, depuis trente ans. Je la protège. Même Marie n'y monte pas.

Elle ouvre la porte, laisse entrer le petit devant elle.

L'enfant se montre perplexe devant les hautes croisées aux tentures de velours fané, le papier jauni sur les murs, les tapis, les guéridons avec leurs lampes à abat-jour en papier huilé, la table basse, le fauteuil Voltaire. Il tient toujours ses souliers dans ses mains.

— C'est bizarre chez toi, dit-il.

— Qu'est-ce que tu veux dire par bizarre ?

— Bizarre... Je n'ai jamais vu une chambre comme ça, dit-il en haussant les épaules.

— Remets tes chaussures, fait-elle en l'invitant à s'asseoir sur le fauteuil Voltaire. Tu peux prendre une dragée.

Pierrot pioche dans la boîte sur la table basse.

— Tu en manges beaucoup ? demande-t-il en laçant ses souliers.

191

— Beaucoup trop. Chez moi, une dragée ne se perd jamais.

Pierrot s'approche doucement du piano noir. Aminthe lève le couvercle. Il n'ose pas toucher le clavier.

— Assieds-toi sur le tabouret. Joue, si tu veux.

Il reste debout, effleure une touche du doigt, l'enfonce. Il sursaute au bruit de la note.

— C'est un marteau qui frappe les cordes, explique Aminthe et elle pianote quelques notes. Je te jouerai un morceau tout à l'heure.

Il désigne la boîte en forme de pyramide sur le piano.

— Qu'est-ce que c'est ?

— Un métronome. Cela sert à donner la mesure. Tu connais les ordinateurs et les jeux vidéo, et tu ne connais rien aux choses de la musique.

Elle ouvre le boîtier, dégage le balancier, le met en branle : tic-tac, tic-tac. La pluie poursuit son bavardage dans la gouttière. Aminthe approche le nez du carreau. Marie revient-elle ? Le petit est planté devant le métronome en mouvement, fasciné.

— C'est bizarre chez toi, répète-t-il.

Aminthe lui fait signe et l'entraîne devant la vitrine de sa bibliothèque.

— J'ai des livres ici. Aimes-tu lire ? Si tu veux, je peux t'en prêter.

Le petit garçon fronce le nez. Elle se méprend sur sa grimace.

— Ce n'est pas parce qu'ils sont vieux qu'ils ne sont pas bien.

— Non, j'aimerais que ce soit toi qui me lises !

— Ça te plairait ?

Elle tourne la clé de la bibliothèque. La poussière vole.

— Oui, convient-elle, il faudrait que je passe le chiffon plus souvent.

Elle cherche parmi les livres recouverts de papier kraft poussiéreux, en sort un.

— Celui-là, je l'aime beaucoup. Je ne l'ai pas lu depuis longtemps. J'aurais plaisir à le relire avec toi, *Le Petit Trott*.

Elle se ravise.

— Non, pas celui-là !

Pierrot rit de la voir changer d'avis.

— Si je te lisais *L'Île au trésor*, puisque nous sommes sur notre île ? Mais c'est une longue histoire que je ne pourrai pas te lire en entier ce matin.

Ils reviennent vers la table basse. Pierrot s'assied sur un petit fauteuil crapaud au vieil or lustré, elle s'installe dans le Voltaire et commence sous le regard du petit garçon qui se frotte les mains entre ses genoux : *Je prends la plume en l'an de grâce 17.. pour me reporter à l'époque où mon père tenait l'auberge de « L'Amiral Benbow » et où le vieux marin au visage basané, balafré d'un coup de sabre, vint pour la première fois sous notre toit...* Quand elle arrive à la chanson de matelot : *Ils étaient quinze sur le coffre du mort... Ho, hisse ! et une bouteille de rhum !*, elle s'arrête, écoute en bas. Est-ce sa sœur qui rentre ? Non, c'est une portière dans la rue. Le petit, déjà passionné, l'encourage :

— Vas-y, continue !

— Mais ta gardienne ?

Une ombre passe sur le visage du petit. Et une idée folle traverse l'esprit d'Aminthe. Si folle qu'elle a le cœur qui bat le tambour dans sa poitrine. Elle demande et son cœur bat encore plus vite :

— Est-ce que ta gardienne sait que tu es venu chez nous ?

Pierrot lui donne cette réponse d'une logique évidente :

— Si elle le savait, elle serait déjà venue me chercher.

— Tu es sûr que personne ne t'a vu entrer ?

L'émotion du voleur doit être la même à la veille de son premier crime. Pourtant elle laisse s'épanouir en elle cette envie folle de garder le petit avec elle, pas longtemps, mais un peu, le cacher, profiter de sa présence. Ainsi elle le venge, et elle se venge.

Elle l'observe qui balance ses jambes avec une impatience qui grandit.

— Tu aurais été content de venir avec nous pendant deux jours dans la 4L ?

Il hoche la tête.

— Et si je te proposais de te lire *L'Île au trésor* jusqu'au bout sans que personne en sache rien ?

— Tu veux dire là, dans ta maison ?

194

Il s'incline vers Aminthe, les coudes sur ses cuisses.

— Oui, confirme Aminthe émue de le voir entrer dans son jeu. Il nous faudra bien... deux jours, sans perdre de temps pour arriver à la fin de l'histoire. Puisque ta maman ne t'emmène plus dans son île, je t'invite à profiter de la mienne.

Elle a dit deux jours comme elle aurait dit longtemps. Elle ne sait pas. Pierrot réfléchit. Sa bouche se tord, ses paupières se rapprochent, ses yeux brillent.

— Nous serons tranquilles, dit-il gravement, sans personne pour nous déranger...

Un large sourire illumine ses joues. Il pointe un doigt vers Aminthe.

— À une condition, ce sera moi Jim Hawkins !

— D'accord !

Son cœur saute dans sa poitrine.

Tu es folle ! pense-t-elle. Elle est rouge, elle le sait, cramoisie. Elle transpire, elle s'essuie le front avec le mouchoir mouillé de Pierrot. Elle insiste :

— Tu crois vraiment que personne ne t'a vu venir chez nous ?

— Je te l'ai dit.

Elle se lève, boite jusqu'au palier pour vérifier que le passage de Pierrot n'a pas laissé de trace, ferme la porte et le doigt sur les lèvres :

— Il va falloir ne plus parler qu'à voix basse. Marie, en dessous, ne doit pas t'entendre. Tu es capable de tenir tout ce temps sans bruit ?

— Ho ! Hisse ! et une bouteille de rhum !

s'exclame tout bas le capitaine Pierrot, le regard rempli d'étoiles.

Aminthe recommence à lire *L'Île au trésor*. Son chuchotis, tremblé au début, s'affermit à mesure qu'elle lit. Pierrot est un merveilleux auditeur. Chaque mot déclenche en lui une succession d'images et d'émotions qui se lisent sur son visage. Elle oublie ses douleurs. Le regard noisette du petit garçon la transporte, elle aussi, dans l'auberge de « L'Amiral Benbow ».

Elle entend sa sœur ouvrir la porte, en bas, et éprouve un nouveau coup dans la poitrine. Elle enfile sa grande blouse bleue à pois blancs par-dessus sa robe pour multiplier les poches, descend. Sa sœur s'étonne de cette tenue.

— Tu as mis la blouse, pas étonnant qu'il pleuve !

— Tu me reproches de mettre de l'ordre chez moi ?

— Pas du tout, au contraire !

Les yeux bleus suspicieux de Marie s'attardent sur Aminthe qui se reproche d'avoir été trop discrète : davantage de remue-ménage aurait rendu son explication plus crédible. Elle va devoir jouer serré pour monter à manger à Pierrot. Marie mesure tout, la longueur du quignon de pain et le niveau du vin dans la bouteille. Elle compte les morceaux de sucre dans la boîte, les pommes et les noix dans la corbeille. Au moment où elle tourne le dos pour retirer les pommes de terre du four, Aminthe en profite pour enfoncer une noix de beurre dans la mie de sa tartine et la dissimuler dans sa blouse. Marie pose le plat fumant sur la table :

— Tu as déjà mangé ton pain ?

Les voix de la radio alternent les réclames. Pompon, enroulé dans son panier, somnole en attendant la fin du repas et sa gamelle. Le bruit de l'océan gronde dans les rames du cèdre.

— On ne peut pas tout avoir, commente Marie. Le thermomètre a remonté. Le vent du sud en cette saison apporte la tempête !

Aminthe guette le moment pour enfourner une pomme de terre au fond de sa poche, lorsqu'on frappe à la porte. Mme Aumont entre, rouge, ébouriffée, les cheveux sur la figure. Son imperméable de plastique noir arrose le carrelage. Il ne pleut plus, mais elle est sortie depuis longtemps.

— Je cherche Pierrot. Il a disparu.

— Disparu, comment ça ? suffoque Marie.

— Je faisais mes lits. Quand je suis revenue dans la cuisine il n'y était plus, il s'était sauvé.

— Sauvé, pourquoi ?

La femme hausse ses lourdes épaules.

— Sa mère lui a écrit qu'elle était partie en Amérique.

— Vous trouvez que ça n'est pas grand-chose ? murmure Marie atterrée.

— Il ne perd rien pour attendre. Il aura de mes nouvelles quand il va rentrer, menace la gardienne la main levée.

197

— Pauvre gosse, le plaint Marie. J'étais partie à la boulangerie. Peut-être Aminthe l'a-t-elle vu...

Aminthe sent le rouge lui monter à la figure, elle bafouille :

— Je n'ai pas bougé de ma chambre. Tel qu'on le connaît, il vous fait courir. À mon avis, il ne doit pas être parti bien loin.

— Voulez-vous que je le cherche avec vous ? propose Marie en dénouant son tablier. Il m'écoutera peut-être davantage.

Elle enfile son gilet, prend son parapluie.

Aminthe en profite pour chercher dans le buffet une belle assiette de porcelaine : sa sœur ne s'apercevra pas de la disparition. Elle vole une pomme dans la corbeille et quelques noix. Elle a bien le droit d'en monter dans sa chambre, après tout. Ses mains tremblent dans la précipitation. Le petit n'a pas bougé de la table où il dessine. Les feuilles de papier, les crayons de couleur sont répandus autour de lui. Il tend à Aminthe les papiers où il a dessiné les héros de *L'Île au trésor*, le balafré capitaine Bill, et le perroquet qui répète : «Pièces de huit ! pièces de huit !»

— Tu dois avoir faim.

Elle pose l'assiette sur la table.

— Ta gardienne est venue. Elle te cherche.

Ils échangent un sourire complice tandis que Pierrot mord dans sa tartine.

La porte s'ouvre en bas. Le courant d'air secoue celle du haut. Aminthe boitille jusqu'au palier.

— Alors ? demande-t-elle.

— Rien.

— Il rentrera tout seul quand il en aura assez d'être dehors !

— C'est ce que j'ai dit à la gardienne qui a tout l'après-midi avant le retour de son père.

— Il n'a pas été prévenu ?

— Non.

Aminthe rentre. C'est l'heure de sa sieste, mais elle s'installe au piano. Marie est surprise : décidément elle trouve sa sœur surprenante depuis leur « odyssée ».

C'est Aminthe qui se lasse l'après-midi. Lire sans cesse à voix basse la fatigue. Le petit, lui, a rapproché son fauteuil crapaud, et ses yeux scintillent d'étoiles d'or aux prouesses de Jim Hawkins. Son rire silencieux encourage sa lectrice à poursuivre.

— Une minute ! le prie-t-elle. Laisse-moi souffler !

Il ne lui accorde pas plus. Il promène les doigts sur la main qui tient le livre.

— Ho ! Hisse ! Et une bouteille de rhum !

Il se lève, fait le tour du salon en inspectant tout. Il fouille partout, même dans les tiroirs. Elle le laisse faire. Elle l'entend. Elle lutte, mais ses paupières sont trop lourdes. Elle a posé le livre sur ses genoux, renversé la tête en arrière. Lorsqu'elle se réveille, la nuit tombe. Pierrot est assis par terre, le contenu d'un tiroir répandu sur le tapis, il cherche dans les boîtes, les photos...

Aminthe ferme les contrevents avant d'allumer

la lumière. Elle conduit Pierrot dans sa chambre qu'il observe les mains derrière le dos avec curiosité : les murs, le lit, la grande armoire de noyer presque noire. Il déclare à nouveau en haussant les épaules :

— C'est encore bizarre !

— Tu m'embêtes avec ton bizarre !

Il se plante devant les photos de la commode.

— C'est qui, celui-là ? demande-t-il en montrant Fabien.

— Quelqu'un qui, comme une autre pour toi, n'a pas tenu ses promesses.

— Alors, pourquoi tu le gardes, s'il t'a fait souffrir ?

— Tu as raison, je n'ai pas encore réussi à m'en débarrasser.

Elle retire la photo du sous-verre, la froisse, et l'enfonce dans sa poche.

— Ce que tu me fais faire ! murmure-t-elle surprise de son geste.

Elle allume la télé.

— Je dirai à Marie que j'ai oublié de l'éteindre.

Elle plie le couvre-pieds.

— Tu peux te mettre sur le lit, mais enlève tes chaussures. Je ne serai pas partie longtemps. Je te rapporterai à manger.

Marie a le front barré, le regard sombre. Le pli d'inquiétude qui joint ses sourcils est creusé profond.

— Il a vraiment disparu. Pourvu qu'il ne lui soit pas arrivé malheur !

— C'est votre faute, réplique Aminthe pour donner le change, vous lui avez laissé tout faire, à ce drôle. Il vous a faussé compagnie pour vous narguer.

— Qui, vous ? se rebelle Marie.

— Toi.

— Moi ?

— Rien n'était trop bon pour lui quand il venait ici. Il avait le droit de rouler sur tes plates-bandes. Tu perdais complètement la mesure.

— Je perdais la mesure ! répète Marie en secouant la tête. Tu l'as toujours détesté ce petit. Tu n'aimes pas les enfants. Il te le rendait bien !

— Justement, ricane Aminthe, il a la peau dure. Je ne suis pas inquiète, il est en ce moment quelque part dans un endroit bien tranquille, et il se moque de vous !

Aminthe jubile. Mais elle craint d'en faire un peu trop, elle se retient. Elle n'en revient pas de sa capacité à mentir et s'en amuse. Elle a soixante années de pratique. Elle vient tout simplement de remplacer un mensonge par un autre.

— En tout cas, moi, il m'est impossible de manger ce soir, déclare Marie. Je t'ai mis ton assiette. Sers-toi si tu veux.

Aminthe coupe une large tranche de pâté dans la terrine.

— Je ne comprends pas comment tu peux avoir de l'appétit, tu n'as pas de cœur ! s'écrie Marie les larmes aux yeux. Pendant ce temps. Pierrot cherche sa mère en grelottant, s'il ne lui est pas arrivé quelque chose de grave !

Aminthe prend ostensiblement une bouchée de pâté en fixant Marie qui se détourne.

— Tu es pire que je ne pensais !

— Tu me connais mal !

On frappe à la fenêtre. Marie se précipite. Elle n'a pas tiré les volets, espérant attirer le petit par la lumière. C'est le père de Pierrot.

— Toujours rien, dit-il.

— Entrez un moment.

Pompon, qui accompagnait Marie, précède l'homme qui s'avance dans la cuisine, encapuchonné dans sa parka. Il repousse sa capuche.

— Il fait un tel vent !

— Avez-vous mangé ? lui demande Marie.

Il secoue la tête.

— Voulez-vous un morceau de pâté ?

— Je veux bien.

Il descend la fermeture du vêtement matelassé. L'ombre de sa barbe sur sa longue mâchoire osseuse accentue son air harassé. Aminthe a envie de lui avouer : « Je sais où est votre petit. Ne vous inquiétez pas. Je vais le chercher. » Elle guette son pas dans l'escalier car il doit avoir entendu son père.

— Je ne comprends pas ce qui se passe dans sa tête. Je fais tout ce qu'il veut pour qu'il soit heureux...

Aminthe lui coupe la parole.

— Un petit a surtout besoin de son père et de sa mère.

Le père mâche son pain en silence. Pierrot a les mêmes yeux noisette sous des arcades droites et fines. Marie lui sert un verre de vin qu'il vide d'un trait.

— Les fugues d'enfants sont fréquentes. Toutes les semaines, on nous en déclare à la gendarmerie, la plupart se terminent plutôt bien, ajoute-t-il pour se rassurer. Seulement lui, il s'y prend de bonne heure.

— C'est la preuve qu'il a du caractère..., dit Mme Jeanne-Marie qui a aperçu le visiteur par la fenêtre et est entrée.

Sa voix tranquille redonne confiance.

— Je ne sais pas pourquoi, fait Marie, j'ai l'impression qu'il viendra dans notre jardin quand il ne saura plus où aller. Ses pigeons sont là. Il sait enjamber le mur de l'école. Je suis déjà allée y voir avant la tombée de la nuit.

Elle prend la pile électrique. Mme Jeanne-Marie et le père de Pierrot la suivent dehors. La lune baigne la terre brune des carrés de coulées laiteuses. On voit presque comme en plein jour. Mais la lampe de Marie traque les coins d'ombre près des cages à oiseaux. Elle descend vers le fond du jardin et appelle :

— Pierrot, si tu es là, montre-toi ! Tu nous as assez punis. On ne te dira rien.

Le père de Pierrot appelle à son tour en espérant la petite silhouette dans la lumière de lune :

— Pierrot ! Pierrot !

Aminthe a glissé une tranche de pâté entre deux tartines, les a enveloppées dans un papier. Elle boitille jusqu'au parement de briques de la porte. Le cèdre geint, secoué par le vent. Des rectangles de lumière éclairent les fenêtres du quartier. Aminthe lève les yeux vers ses volets derrière lesquels elle devine les reflets colorés de sa télévision. Marie surprend son regard et lève à son tour un œil soupçonneux vers le rai de lumière qui filtre au bord du volet.

Aminthe monte, quand tous sont partis chercher ailleurs, épuisée. Elle se reproche de ne pas avoir parlé. Sans cesse, elle a été sur le point d'avouer, et sans cesse, elle a repoussé à plus tard. Elle va pourtant devoir se décider. Il est encore temps. Ce n'est plus l'heure de jouer la capricieuse qui règle ses comptes. C'est trop grave.

« Tu vas prendre le petit par la main et redescendre avec lui. Tu expliqueras qu'il a frappé à la porte et que tu l'as caché pour consoler son chagrin. » Ses mains sont moites. Elle s'arrête pour reprendre haleine à mi-escalier.

Elle pousse la porte de la chambre. Le petit, allongé sur le lit, dort. On le dirait, dans la douceur de la lumière, enveloppé d'une peau d'ange. Une bulle de salive se gonfle à la commissure de sa lèvre frangée de duvet blond.

« Comment une mère peut-elle s'en aller en abandonnant derrière elle son petit ? »

Aminthe hésite à entrer. Elle craint que ses pas

204

lourds ne le réveillent. Mais il dort d'un profond sommeil. On dirait qu'il sourit. Elle baisse doucement le son de la télé, et l'éteint. Elle va le laisser dormir. Elle le ramènera à son père demain matin.

Elle lui enlève ses chaussettes, son gilet. Il accompagne les gestes sans ouvrir les yeux. Elle retire sous lui les couvertures et le drap pour le glisser dans le lit. Il entrouvre les paupières. Ses prunelles dorées bougent sans rien voir.

« Pompon dort comme lui. »

Elle éteint la lumière et reste appesantie au bord du lit. Elle ne sait pas quoi faire. Elle ne se déshabille pas.

Elle n'ose pas s'allonger auprès de lui. Elle entend s'élever les ronflements d'asthmatique de sa sœur en dessous.

« Elle a prétendu qu'elle ne dormirait pas. Elle devait rester sur le qui-vive. Si elle savait qui est couché au-dessus de sa tête ! »

Mais, peu à peu, la fatigue l'allonge. Elle rentre tout habillée sous les couvertures. Elle ne trouve pas le sommeil. Elle n'a pas dormi auprès de quelqu'un depuis peut-être cinquante ans, quand elle partageait le lit avec Marie, à La Limouzinière...

Un coup de pied du petit la fait sursauter. Il s'agite, se tourne, se retourne. Si Marie l'entendait en dessous ? Aminthe tend la main pour le calmer, trouve le petit bras, caresse le poignet tiède. Son geste l'apaise.

Le vent rôde toujours autour des volets. Le carillon dans la cuisine sonne quatre heures. Les idées noires tournent dans la tête d'Aminthe. Les petites filles en chapeau à larges bords veulent revenir. Les images de gendarmes se mêlent à celles des chrysanthèmes.

« Qui te dit que le petit ne changera pas d'avis quand il aura retrouvé son père, et qu'il ne parlera pas contre toi ? »

L'angoisse rallume ses douleurs. Qu'est-ce qui lui a pris ? Tout s'est déréglé à partir du moment où elle s'est assise dans la 4L pour aller porter les chrysanthèmes au cimetière. Si elle n'était pas heureuse avant, du moins elle était tranquille. Elle écoute la nuit, les yeux grands ouverts. Le carillon sonne la demie. Les robes à carreaux des petites filles chatoient dans la lumière des vitraux de l'église. Une petite voix lui chuchote dans le noir :

— Tu entends les pigeons ?

Elle se demande si elle est réveillée ou si elle rêve. Mais la voix répète et s'impatiente :

— Tu les entends ?

— Oui.

Pierrot rit et imite les roucoulements des oiseaux en cage.

— Chut ! Marie va t'entendre. Tu veux que je finisse de te lire *L'Île au trésor* ?

— Oui.

— Eh bien, ne fais pas de bruit ! Quelle heure est-il ? Tu as bien dormi ?

— Oui. Et toi ?

— Je crois que j'ai été réveillée par les coups de pied de Jim Hawkins.

— C'est vrai qu'il t'a donné des coups de pied ? Il était peut-être poursuivi par ce diable d'Israel Hands ?

— C'est certainement ça.

La petite main de Pierrot glisse sur l'oreiller, rencontre la tête d'Aminthe, et effleure sa joue.

— Toi, tu es un coquin, Jim Hawkins !

Elle allume la lumière. Quand a-t-elle eu deux yeux aussi près des siens ?

— Qu'est-ce que tu regardes ?

— Toi.

— Allez, ça suffit ! s'exclame-t-elle tout bas.

Elle écarte les couvertures et entreprend la gymnastique de son lever en se retenant de gémir. Le petit, lui, a déjà fait le tour et se tient devant elle.

— Va mettre tes chaussettes. Qui passe le premier à la toilette ?

— Moi.

— Non, moi. Je suis tout ébouriffée. Je me fais peur tellement je suis laide ! dit-elle debout devant son armoire.

— Tu n'es pas laide. Tu es vieille, c'est tout.

Aminthe est ébahie et son rire plein de cailloux la secoue en silence.

— Toi alors ! C'est exactement ce que je voulais dire. Quand on est jeune, on est toujours beau, tandis que lorsqu'on a quatre-vingts ans...

— On est vieux !

Elle rit encore de l'assurance du petit qui parle comme un grand.

— Tu vas prendre un petit déjeuner inhabituel.

Mais on se nourrit avec les vivres du bord. Je t'ai apporté, hier soir, un sandwich au pâté.

Elle s'enferme dans la salle de bains et supporte de se regarder sans grimace, ce qui ne lui est pas arrivé depuis longtemps. Elle singe les grands yeux et le visage grave de Pierrot. « Tu es vieille, c'est tout. »

Mardi 5 novembre

La lecture se poursuit. Pierrot est assis sur son fauteuil, puis sur le plancher aux pieds d'Aminthe. Elle ne croyait pas si bien dire : son appartement est devenu une île. Ils y naviguent à bord de l'*Hispaniola*, affrontent le redoutable cuisinier John Silver. Ni l'un ni l'autre ne sont dupes. Ils savent que la récréation ne va pas durer, mais ils ne se soucient pas de ce qui arrivera après.

En bas, Marie s'agite. Elle se prépare à arpenter la ville à la recherche de Pierrot. Elle hèle Aminthe sur un ton revêche.

— Je sors, tu m'entends ?

Le temps n'engage guère à l'optimisme. Les brèves éclaircies balayées de bourrasques secouent portes et fenêtres. Les passants marchent plus vite qu'ils ne le souhaitent. L'égoïsme de sa sœur exaspère Marie. Elle ne comprend pas qu'elle reste confinée dans son appartement tandis que l'angoisse grandit dans le quartier.

— S'il frappait à la porte pendant que je suis partie, tu lui ouvrirais, au moins ?

— J'essaierais.

Le doigt sur la bouche, Aminthe rit avec Pierrot qui se cache derrière la porte. Elle descend aussitôt que Marie est partie, donne un tour de clé, autorise le petit à descendre se dégourdir les jambes.

— Mais enlève tes chaussures, qu'on ne t'entende pas remonter si quelqu'un vient. Tiens-toi aux balustres, les marches sont glissantes.

Elle lui prépare son repas. Il aimerait sortir voir les pigeons. Pompon se roule par terre avec lui. Ils heurtent les chaises.

— Arrête de faire le fou avec cette bête ! Il ne faut pas mettre de désordre, ou alors on arrête tout !

Quel besoin a-t-elle de prolonger cette affaire qui a trop duré ? Mais le petit, docile, se relève sur les genoux, frotte ses mains sales.

— On continue !

— Eh bien, viens te laver les mains !

Ils remontent. Elle installe leur dînette sur la table basse, redescend vérifier qu'ils n'ont pas laissé de traces. Elle cherche le chat, qui a rejoint son carillon. À mi-hauteur de l'escalier, elle s'arrête, essoufflée. Son cœur s'est emballé dans sa poitrine. Une sueur froide lui mouille le front. Il faudrait qu'elle s'asseye, mais sur les marches étroites ce n'est pas possible. Elle s'adosse à la rampe. Peu à peu, son cœur se calme. Elle s'essuie le front avec son mouchoir.

Pierrot l'appelle :

— Aminthe, qu'est-ce que tu fais ?

— J'arrive !

Le premier pas est difficile, le second est plus supportable. Elle atteint le palier. Elle arrange sa robe, ses cheveux avant d'entrer, et s'étale en soupirant dans le fauteuil Voltaire.

Ils reprennent la lecture. Leurs chuchotements deviennent encore plus discrets car à mesure que les heures passent sans nouvelles, la tension monte en bas. Marie est retournée effectuer sa tournée dans le jardin, l'atelier, le garage, la serre. Mme Jeanne-Marie entre et sort. Les gendarmes ont inspecté les coins et recoins de l'école.

— Où est-il passé, ce petit garnement ? demande Marie rongée d'inquiétude. Pourvu qu'il ne lui soit pas arrivé malheur ! S'il se cache et nous fait marcher, menace-t-elle la voix tremblante et les yeux mouillés, je crois bien que je lui tirerai les oreilles !

Elle ouvre la porte de son armoire et cherche dans la penderie derrière ses robes.

— Qu'est-ce que tu fais ? l'interroge Aminthe.

— Je le cherche. Est-ce qu'on sait quelle idée peut lui être passée dans la tête ? Il faut bien qu'il soit quelque part ! Il n'a pas besoin d'une bien grosse cachette. S'il n'est pas retrouvé demain, les gendarmes perquisitionneront dans toutes les maisons du quartier.

Aminthe accélère le débit de sa lecture dans le salon puis dans la chambre.

Le carillon sonne neuf heures et demie du soir lorsqu'elle lit les derniers mots de *L'Île au trésor* :

« Pièces de huit ! pièces de huit ! » Ils sont côte à côte sur le lit, le dos bien calé par les oreillers.

— Voilà, c'est fini..., dit-elle au petit que le récit a tenu éveillé jusqu'au bout.

— C'est dommage. Veux-tu me relire la dernière page ?

Elle recommence doucement. Les paupières de Pierrot s'abaissent, lourdes. Elle n'a pas besoin de lire jusqu'au bout. Ses yeux sont fermés. Aminthe enlève l'oreiller, remonte le drap sur son menton.

Le lendemain matin, elle se lève la première, va prendre sa douche pendant qu'il dort encore. Elle revient le réveiller.

— Jim Hawkins, nous allons regagner le port de Bristol.

Il prend ses poignets et supplie :

— Encore un peu : Pièces de huit ! pièces de huit !

— Non ! non ! Tu fais ta toilette, et on descend ensemble. Ils nous attendent en bas.

Aminthe ouvre les volets et, comme dans l'escalier, son cœur lui fait mal à l'idée de ce qui va se passer. Le jour se lève comme d'habitude dans les grondements sourds de la ville. La flamme du cèdre tient le garde-à-vous, enveloppée d'une parure rose. Aminthe respire de grandes bouffées d'air frais, les mains sur l'appui de fenêtre.

— Alors Pierrot, tu en mets du temps !

Sa voix dans la chambre a une résonance étrange

après deux jours de silence. Le petit revient, mal essuyé, la figure fermée. Aminthe le frictionne et lui demande :

— Qu'est-ce que tu as ?

— J'ai peur de me faire attraper par mon père.

— Si quelqu'un se fait attraper, ce sera moi, ne t'inquiète pas !

— C'est vrai ?

— Je te défendrai. Ils seront trop contents de te retrouver.

Les yeux jaunes de l'enfant brillent, il sourit. Elle ajoute :

— Peut-être aimeras-tu relire cette *Île au trésor* ? Si tu la veux, je te la donne. Moi, je ne la lirai plus.

Il serre le livre contre sa poitrine. Elle vérifie la tenue du petit.

— Alors, tu es prêt, petit soldat ?

Elle s'oblige à le pousser dehors, la gorge serrée. Lui chantonne, traîne sa main au bord de l'armoire, sur le dossier du fauteuil Voltaire puis le couvercle du piano. Lui non plus n'a pas envie de partir. Alors Aminthe crie :

— Marie !

Cela tombe bien. Mme Jeanne-Marie est passée prendre des nouvelles. Aminthe insiste, presque en hurlant du haut du palier :

— Marie !

Marie se précipite.

— Quoi, qu'est-ce qu'il y a ?

— Vas-y, souffle Aminthe à Pierrot en le prenant par les épaules.

Pierrot descend lentement, cramponné à son livre, un petit sourire crispé au bord des lèvres.

— Mon Dieu ! s'écrie Marie.

Et elle appelle :

— Madame Jeanne-Marie, venez voir !

— Mon Dieu ! dit Mme Jeanne-Marie figée derrière Marie.

Pierrot continue de descendre avec son étrange sourire.

— Mais qu'est-ce que tu fais là ? demande Marie.

Aminthe descend les premières marches.

— Il était avec moi.

— Avec toi, depuis quand ?

— Avec moi, depuis le début.

— C'est abominable !

Pierrot pose le pied sur le carrelage du corridor et tend *L'Île au trésor* à Marie.

— C'est le livre qu'Aminthe m'a lu.

— Quel livre ? Elle ne t'a pas fait de mal, au moins ?

Aminthe s'emporte :

— Parce que tu me crois capable de lui faire du mal ? Tu croyais qu'il n'aimait que toi. Tu aurais bien voulu l'avoir comme je l'ai eu pendant deux jours pour moi toute seule !

Elle descend en boitant, marche après marche, rouge de colère. Marie serre le petit contre sa blouse.

— Mon Pierrot, nous t'avons cherché partout !

Elle secoue devant sa sœur une tête bouleversée d'indignation :

— Je ne sais pas si tu te rends compte... Tu es complètement folle ! Est-ce que tu t'imagines ce qui va t'arriver maintenant ?

Elle se penche à l'oreille de Pierrot :

— Tu n'as pas mangé ? Est-ce que tu as faim ?

— J'ai faim moi aussi, intervient Aminthe. Nous avons bien dormi. Nous descendions pour prendre notre petit déjeuner.

Mme Jeanne-Marie bouge après la première stupeur :

— Je cours prévenir son père pour le rassurer...

— Prenez le téléphone..., la prie Marie. Je suis trop tourneboulée pour appeler moi-même.

Le père arrive, la veste ouverte, blême, les traits tirés par le manque de sommeil. Pierrot est attablé devant un bol de chocolat au lait, la serviette autour du cou. Il baisse les yeux.

— Qu'est-ce qui t'a pris ? demande le père, la voix tremblante d'inquiétude et de colère. Nous ne savions pas où tu étais passé...

— Je suis venu ici, explique-t-il timidement, mais plus il parle, plus il regarde son père. J'ai dit à Aminthe que maman était partie en Amérique. Elle m'a lu une longue histoire...

— Une histoire qui a duré deux jours !

— Oui.

Le petit trempe son pain dans son chocolat. Le père s'adresse à Aminthe, scandalisé de la voir installée devant un grand bol de café, qu'elle ne peut cependant pas avaler :

— Vous êtes complètement inconsciente ! Tous les gendarmes de la ville le cherchent. Il faut que je prévienne mes collègues.

Pierrot regarde Aminthe.

— Elle a été gentille avec moi. Elle m'a lu toute l'histoire. Elle m'apportait à manger.

— Elle n'avait pas fermé la porte à clé ?

— N'importe quoi !

Marie ouvre aux gendarmes, qu'elle reconnaît pour les avoir vus, il n'y a pas si longtemps. Le brigadier à moustache filasse sort son calepin pour dresser le procès-verbal. Il interroge le père, puis Aminthe. Elle répond avec calme, légèrement plus pâle qu'à l'habitude. Pierrot, qui a fini de manger, glisse de sa chaise et se précipite vers son père qui lui tend les bras et le serre contre lui.

Marie pleure. Mme Jeanne-Marie sort un Kleenex de sa poche de tailleur.

— Séquestrer un enfant de cet âge, martèle le sous-brigadier, c'est très grave.

— Je ne l'ai pas séquestré ! s'indigne Aminthe.

— Vous n'aviez pas le droit de le garder avec vous. Vous deviez le ramener à son père.

— Est-ce que tu as été malheureux, Pierrot ?

Le petit, que son père tient contre sa poitrine, comme s'il craignait qu'il ne s'envole à nouveau, secoue la tête. La gardienne entre en furie, fonce sur Pierrot, et son père.

— Alors tu étais là ! s'indigne-t-elle. À cause de toi, je me prenais pour une criminelle !

Elle se retourne vers Aminthe.

— Vous êtes un monstre ! Vous êtes la honte de la rue ! On devrait vous enfermer...

— Ne nous emportons pas, intervient le commissaire de police qui est arrivé sans bruit derrière elle, et ne prononçons pas des paroles que nous regretterions ensuite. Gendarme, voulez-vous raccompagner madame chez elle, s'il vous plaît ?

— C'est un scandale, suffoque la gardienne, se moquer de nous comme elle l'a fait !

— Votre colère est légitime, madame. Laissez-nous faire...

Il tire une chaise et va s'asseoir devant Pierrot et son père.

— Alors, qu'est-ce que tu penses de *L'Île au trésor* ?

— C'est bien. Ce n'est pas le trésor qui est intéressant, mais toutes les aventures qui y mènent. Quand il est trouvé, l'aventure est finie.

— Tu as tout compris. Quel personnage as-tu préféré ?

— Jim Hawkins. C'était moi, Jim, n'est-ce pas, Aminthe ?

— C'est vrai que Jim a le beau rôle, reconnaît le commissaire. Tout lui réussit. Il est presque trop bien, ce petit Jim. Moi, j'aime le capitaine Fawcett. Il ramène l'*Hispaniola* à Bristol.

Tout le monde écoute, étonné, le commentaire de cet officier de police rond, enveloppé dans un manteau de laine gris informe, qui a lu *L'Île au trésor*.

— J'aime beaucoup Stevenson, dit-il, tourné vers Aminthe. Mais je crois que vous n'avez pas mesuré la gravité de votre action, madame. Bien sûr, hem... vous n'avez pas fait de mal à Pierrot...

Il prend à témoin le père et ajoute plus bas :

— Seulement, vous avez oublié tous les autres, et plus particulièrement ceux qui sont autour de cette table.

Il y a, cette fois, du reproche dans le son de sa voix et l'arc de ses sourcils s'est tendu. Aminthe baisse la tête.

— La machine de la police s'est mise en marche, continue-t-il. Maintenant comment faire pour l'arrêter ?

Il interroge du regard tout le cercle.

— MM. les gendarmes, qui connaissent la loi, confirmeront que, pour une séquestration, on met en geôle.

Il se tourne vers les porteurs d'uniforme, mais aussi vers le père.

— Je n'ai pas séquestré Pierrot, se défend Aminthe, je l'ai caché.

— Nous nous cachions sur notre île, intervient Pierrot qui aimerait reprendre la conversation sur *L'Île au trésor*.

Le commissaire sourit à l'enfant et interpelle le père :

— À moins, bien sûr, que vous ne retiriez votre

218

plainte. Dans ce cas, nous abandonnerions toute poursuite.

— C'est possible ? demande Pierrot qui lève les yeux vers son père.

— C'est la loi.

Le sous-brigadier à moustache ouvre des yeux horrifiés à l'idée d'un pardon aussi facilement obtenu.

— Toute la gendarmerie a été sur le pied de guerre, oppose-t-il. Les hommes n'ont pas dormi cette nuit parce qu'ils recherchaient l'enfant d'un gendarme.

— Il est retrouvé..., lui répond doucement le commissaire.

Le père parle à l'oreille de son fils. Il insiste. Le petit balbutie en prenant à témoin Aminthe :

— Nous ne recommencerons pas.

Puis se ravisant, il prie son père :

— Tu me liras *L'Île au trésor* comme Aminthe !

— Peut-être pas aussi bien, mais je te la lirai... Monsieur le commissaire, je retire ma plainte !

— Allons, tant mieux ! fait le commissaire.

Marie s'active soudain, soulagée, essuie le coin de ses paupières, et pour donner du sens à l'excitation de ses mains :

— Quelqu'un veut-il prendre un café ?

Le commissaire se lève.

— Messieurs, je crois que nous n'avons plus rien à faire ici. Ces gens n'ont plus besoin de nous.

Aminthe est livide maintenant, ses lèvres ont

219

perdu leur couleur. La sueur coule en rigoles de ses tempes à ses joues.

— J'espère que les journaux ne parleront pas de ça ? demande-t-elle à l'inspecteur.

— Vous me donnez une idée. Ce serait pour vous une bonne punition... Non, ne vous inquiétez pas. Nous ne sommes pas du genre à faire de la publicité pour ces affaires...

Le sous-brigadier décharge sa mauvaise humeur en partant :

— Vous avez fait fort, mademoiselle !

— Pardonnez-moi...

— C'est lui qui vous pardonne, vous avez de la chance !

Il montre le père de Pierrot qui laisse son fils s'approcher d'Aminthe. Le petit s'arrête à distance. Son timide sourire éclaire ses joues.

— Allez, tu viens ? lui dit son père.

Mme Jeanne-Marie s'en va à son tour en promettant de passer au retour de ses commissions. Marie rassemble les tasses vides.

Aminthe immobile croise les bras sur la table. Elle regarde vaguement la rue par la fenêtre. Marie hésite à lui retirer son bol plein. Comme le café est froid, elle demande :

— Tu en veux d'autre ?

Aminthe ne lui répond pas. Marie range la vaisselle dans le buffet. Les pigeons roucoulent. Un rayon de soleil ocré entre par les vitres de la cour. Marie sort le balai-brosse et la serpillière pour laver le carrelage. Elle heurte le pied de chaise de sa sœur qui s'emporte.

— Arrête de me tourner autour !

— Mais qu'est-ce que je t'ai fait ? Il faut bien que je nettoie la maison !

— Tu crois que je ne vois pas tes airs de mater dolorosa ? J'entends tes soupirs ! Tu es contente. Tu es bonne, tu es brave, tu as la charge de ta sœur qui est mauvaise et te donne de la peine !

— Je ne me plains pas !

— Tu ne fais que ça ! Je te connais. Je sais ce que tu penses. Tu veux que je te dise : tu me crois folle, mais tu es jalouse !

— Jalouse de tes bêtises, moi ?

— Oui. Tu croyais ce petit à toi, et qu'il ne s'intéressait qu'à tes amusements de bricolage et de pigeons.

— Tu as toujours fait peur aux enfants !

— Eh bien, tu vois, ce n'est pas vrai. Il a passé deux jours avec moi et il était si content qu'il ne voulait pas s'en aller.

— C'est toi qui le dis !

— Tu lui demanderas !

Elles parlent si fort qu'elles n'ont pas entendu frapper. La porte du corridor que Marie n'a pas fermée à clé à cause du prochain passage de Mme Jeanne-Marie s'entrouvre :

— Bonjour, excusez-moi, mesdames...

C'est le grand escogriffe de promoteur qui accompagnait le maire lors de sa visite. Il a dû lire les journaux. Il avance dans la cuisine, l'air jovial, l'attaché-case au bout du bras.

— Voilà, mesdames, déclare-t-il en ouvrant sa valise, le document qui prend en compte la conversation que nous avons eue avec M. le maire.

Il pousse vers elles un dossier dactylographié. Sa pomme d'Adam monte et descend le long de son cou maigre.

— Je vous les remets pour lecture. Il n'y a rien de définitif. Vous pouvez y apporter toutes les corrections que vous désirez.

— Nous pouvons écrire dessus ? demande Marie qui a retrouvé son sang-froid.

— Bien sûr.

— Nous n'allons pas le lire nous-mêmes, nous n'y connaissons rien. Nous donnerons ça à notre notaire.

— Vous avez raison, vous pourrez décider en confiance.

Il referme doucement sa mallette espérant des questions. Ses yeux qui soupçonnent le fruit mûr lancent des éclairs de joie, il voudrait bien le cueillir là, tout de suite. Mais comme rien ne vient, il remonte sa mèche de cheveux qui retombe aussitôt sur son front.

— À bientôt, mesdames, leur dit-il en tendant la main. Quand voulez-vous que je repasse vous voir ?

— Laissez-nous une semaine. Nous ne sommes pas à la minute. De toute façon, nous voulons régler tout ça avant Noël.

Les deux sœurs, redevenues alliées pour la circonstance, l'accompagnent ensemble à la porte.

— Quand il découvrira le cadeau du père Noël, grommelle Aminthe, il ne sera pas déçu du voyage !

Elles descendent la rue Chanzy en s'appuyant l'une sur l'autre. Elles voudraient passer inaperçues devant l'immeuble de la gendarmerie. Les événements les ont comme rétrécies. Elles ont bien changé. Aminthe, accrochée au bras de Marie, traîne son corps trop lourd comme une croix. La matinée est couleur d'eau sale, le ciel gris de plomb. Des feuilles de charme mortes s'entassent contre les marches des entrées. Les containers des ordures vidés à l'aube encombrent encore les trottoirs et obligent les deux femmes à de lents détours. Elles arrivent devant le théâtre. La circulation y est plus importante. Marie hésite à s'engager sur les clous avec sa charge. Aminthe la houspille :

— Qu'est-ce que tu attends ? Vas-y !

Elles traversent ensuite devant l'église Saint-Louis où un conducteur pressé les klaxonne. Elles poussent enfin la porte de verre de l'immeuble de la rue des Halles. La boîte aux lettres indique le cabinet du notaire au troisième étage. Aminthe lâche le bras de sa sœur, se dirige vers l'ascenseur et appuie sur le bouton.

— Eh bien, tu viens ? s'impatiente-t-elle parce que sa sœur hésite.

Le notaire, un homme affable, jeune, grand, le torse moulé dans un pull à col roulé, tend ses longs bras vers elles.

— Alors, mesdames, leur dit-il, il semble que nous allons bientôt régler ce problème de maison.

Il leur montre la porte ouverte de son bureau où elles le précèdent. Il ferme la porte capitonnée derrière lui.

Jeudi 7 novembre

Le temps est doux à quelques jours des cérémonies de l'Armistice. Un précieux soleil luit dans un ciel rayé de traînées laiteuses. Un essaim de mouches se chauffe sur le mur de l'atelier. Marie prépare le bois pour son fourneau. Elle brise du sabot le cageot qu'elle a récupéré à la sortie de la supérette, arrache soigneusement à la pince les agrafes enfoncées dans le bois blanc, range les bûchettes dans le panier de bois, et commence à fendre les rondins de châtaignier avec le hachereau du grand-père.

Elle pourrait les emporter tels quels. Elle trouve qu'ils brûlent mieux, fendus. Surtout elle a plaisir à transpirer dans cet exercice. Elle a l'impression de mieux respirer après. Elle lève la cognée et partage les bûches avec une impitoyable régularité. Elle frappe avec un tel bon cœur que les fragments fusent et que la lame s'enfonce profond dans le bois du billot.

Le vibrionnement des mouches sur le crépi l'exaspère. Elle relève sa figure aux pommettes rosies par l'effort. Un voile d'inquiétude glisse dans ses yeux clairs. On dirait qu'elle sent planer quelque chose dans l'air, elle ne sait pas au juste quoi, depuis leur visite au notaire. Sa sœur ne joue plus du piano. Elle ne descend de sa chambre que pour manger, et encore. Marie doit l'appeler. Que peut-elle bien faire, là-haut, pendant des heures ? Les livres apportés par Mme Jeanne-Marie sont encore sur la table de la cuisine. Elle a décidé de vendre la 4L.

Mais Aminthe sait ce qu'elle fait. Elle a ouvert les tiroirs de sa commode et elle déchire les lettres, les photos, les agendas, les invitations, les menus de repas de fêtes, accumulés dans des boîtes comme des trésors. Elle a commencé par tout ce qui concerne Fabien et elle n'éprouve aucun regret. Elle sait que si ce n'est pas elle qui le fait, des étrangers s'en chargeront.

Elle vide aussi son armoire, décroche les vieilles robes, les tailleurs, les chemisiers rangés sur des cintres et attendant un improbable retour en grâce, jaunis par le temps et attaqués par les bestioles malgré les boules de naphtaline. Elle agite de vieilles poussières dans l'or du soleil avec la jubilation d'une employée à la décontamination. Elle pose un instant sur sa tête un chapeau cloche rose orné d'une plume de canepetière et l'envoie rejoindre le tas de nippes sur le plancher. Elle se risque même à ajuster sur sa chemise le chemisier de soie saumon porté au mariage de ses neveux qu'elle boutonne avec peine. La transpiration des instants de fête a accompli son œuvre. Des auréoles jaunâtres marquent les dessous de bras. Le chemisier voltige jusqu'au tas et elle enferme le tout dans une vieille toile dont elle noue solidement les extrémités. Elle peine à soulever le lourd ballot qu'elle traîne à travers la chambre.

— Je le jetterais bien par la fenêtre !

Elle aperçoit Marie qui fend du bois dans le portail ouvert de l'atelier. Elle se ravise. Un camion en manœuvre dans la rue se bat avec sa boîte de vitesses. Elle tire le ballot sur le tapis du salon, le pousse sur les marches de l'escalier.

Que s'est-il exactement passé ? Aminthe ne le sait pas. Elle n'a pas eu plus mal que d'habitude. Elle s'est effondrée sur une marche sans s'en apercevoir. Elle a cru qu'elle avait glissé, s'est cramponnée à la balustre, incapable de se relever.

Elle attend un peu pour reprendre haleine, le cœur battant. Elle entreprend une nouvelle tentative, s'arc-boute, s'accroche, crie, pour soulever ses lourdes fesses. Le foyer de douleur embrase sa hanche, irradie les reins, pour rien. De colère, elle donne un coup du pied de sa bonne jambe dans le ballot qui roule, dégringole, rebondit jusqu'sur le dallage du corridor.

— Eh bien, voilà, tu es prise au piège !

Rien n'a changé pourtant. Elle est assise dans l'escalier. Le camion dans la rue continue de s'en prendre à sa boîte de vitesses. Elle essaie encore de se soulever, en vain.

— Marie !

Marie continue d'abattre son tranchant sur le rondin sans entendre. Mais lorsque le camion, là-bas, cesse ses grognements, elle perçoit quelque chose. Elle soulève son foulard sur son oreille, et se précipite.

— Qu'est-ce qui se passe ? demande-t-elle découvrant le ballot et montant vers sa sœur.

— Eh bien, tu vois ! grince Aminthe. Je suis plantée. Je ne peux pas me relever.

— Attends ! Appuie-toi sur moi...

— Je veux bien. Méfie-toi de ne pas dégringoler avec moi.

Marie s'agrippe, ploie l'échine, soulève sa sœur «comme un sac de patates», dit-elle avec un rire nerveux, chancelle, gémit. Aminthe crie :

— Arrête ! Tu me fais mal !

Marie la dépose sur la marche suivante.

— Je pense que je me suis cassé le col du fémur. Tu ferais bien d'appeler le médecin.

Marie pousse son cri plaintif.

— C'est toujours toi qui l'appelles pour moi d'habitude !

— Tu lui demandes de venir tout de suite, parce que je crois que je ne tiendrai pas longtemps assise sur cette marche.

Marie descend téléphoner, remonte, s'inquiète de la pâleur d'Aminthe.

228

— Comment te sens-tu ? Veux-tu boire quelque chose ?

— Je me sens comme un pinson, persifle Aminthe. Si je me décide, je vais descendre l'escalier à cloche-pied, et ce sera quelque chose !... Je boirais bien un peu d'eau, si ça ne t'ennuie pas.

Marie apporte un verre et une bouteille, sert sa sœur, s'assoit à côté d'elle. Elle dénoue son foulard, s'en essuie le front et les tempes, l'enfonce froissé dans son giron, s'octroie à son tour un verre d'eau.

— Qu'est-ce que tu faisais ? demande-t-elle en désignant le ballot sur le carrelage.

— Je déménageais mes vieilleries. Je ne suis pas allée assez vite !

Elles se parlent comme cela ne leur est pas arrivé depuis longtemps, et se serrent l'une contre l'autre, comme deux sœurs.

— C'est drôle, dit Aminthe, de nous retrouver comme ça dans un escalier.

— Pourquoi ?

— On dirait que le destin nous guette au détour d'un escalier. Je nous revois dans celui de la Limouzinière comme si c'était hier.

La petite main qui pinçait le cœur de Marie se referme, et serre. Elle gémit et regarde sa sœur. Elle lit l'abandon dans ses yeux sombres.

— Non, dit-elle en refusant d'entrer dans son jeu et en se redressant, tu vas t'en sortir. Les médecins ont l'habitude de soigner des fractures.

Un rayon de soleil doré entre par les vitres de l'imposte au-dessus de la porte. Le docteur Pichon frappe et sa silhouette massive s'encadre dans l'ouverture avant que Marie ait eu le temps de descendre. Il s'assied à côté de sa patiente et feint d'utiliser son stéthoscope et son tensiomètre alors que son diagnostic est déjà établi. Il range son matériel dans son sac.

— Il va falloir vous hospitaliser, mademoiselle Aminthe. Vous passerez des radios de vérification, mais je pense, comme vous, que c'est le col du fémur qui a cédé. On va probablement vous opérer et vous mettre un col artificiel tout neuf. C'est désormais une opération banale. La rééducation est tout à fait au point, et il est probable qu'à Noël vous marcherez mieux que vous ne le faisiez ces derniers temps.

Sa voix tranquille rassure les sœurs.

— Il faut que quelqu'un vienne vous chercher. Voulez-vous appeler une ambulance, à moins que vous ne préfériez que je le fasse pour vous ?

— Appelez, docteur, s'empresse Marie, nous ne savons pas qui demander.

Il sort son portable. Ses longues jambes pliées devant lui servent de pupitre à son bloc d'ordonnances et son calepin. Marie s'affole en attendant l'ambulance.

— Tu as besoin d'une chemise de nuit et de ta trousse de toilette !

— Tu mettras mes pantoufles aussi, même si elles ne sont pas bien belles.

— De toute façon, si vous avez besoin de quelque chose, votre sœur vous l'apportera par la suite, la rassure le docteur.

— N'oublie pas la bouteille d'eau de Cologne sur ma table de toilette.

Marie se précipite dans la chambre de sa sœur, interloquée sur le seuil par le désordre qui y règne, les portes, les tiroirs grands ouverts, les papiers qui jonchent le sol.

— Elle a pourtant été élevée comme moi. Comment peut-elle vivre dans une telle pagaille !

Elle pense à Pierrot qui a vécu là pendant deux jours.

Les ambulanciers ont déjà allongé Aminthe sur un brancard. Ils la descendent prudemment, enveloppée dans une couverture. Marie les suit avec la valise. Les yeux d'Aminthe roulent en silence du plafond au mur. Le flot lourd du soleil entre par la porte. Les hommes s'arrêtent pour laisser passer un groupe de piétons sur le trottoir. Marie demande :

— Qu'est-ce que je fais ? Est-ce que je peux accompagner ma sœur ?

— Bien sûr que vous pouvez monter près d'elle dans l'ambulance, l'encourage le docteur Pichon.

Après l'opération, le chirurgien dit à Aminthe, en lui rendant visite dans sa chambre :

— L'os de votre hanche était brisé comme une

231

barre de nougatine. Des miettes étaient répandues tout autour. Vous avez dû souffrir.

Elle répond :

— Non, guère plus que d'habitude.

Marie, à son chevet, la trouve défigurée. Elle l'aurait croisée sur un lit dans le couloir, elle ne l'aurait pas reconnue. Le nez de sa sœur est pincé. Sa peau fripée comme un vieux parchemin tombe en plis sur sa figure marbrée. La sueur colle ses cheveux sur ses tempes. Elle respire difficilement l'air moite de la chambre.

Le spectacle des toits rouges des pavillons d'habitation et des jardins bordés de haies de lauriers que surplombe le quatrième étage de l'hôpital distrait Marie. Un homme pousse sa tondeuse sur la pelouse. Un roulement de chariot approche dans le couloir. Une infirmière rousse entre en courant d'air.

— Alors, comment se porte notre opérée ? demande la femme en blanc qui vérifie le débit du goutte-à-goutte, soulève le drap pour redresser le tuyau du drain.

Marie se penche et découvre le pansement énorme et le badigeon jaune de l'antiseptique sur la peau blanche de sa sœur.

— Le pansement est impressionnant, explique l'infirmière, mais l'incision est réduite au strict minimum. Vous êtes Marie ? Votre sœur m'a parlé de vous. N'oubliez pas que vous devez me donner une leçon de piano tout à l'heure, mademoiselle Aminthe ! plaisante-t-elle sur le point de partir.

232

Elle remonte délicatement le drap sous le menton d'Aminthe. Marie la suit dans le couloir.

— Vous la trouvez bien ? Avez-vous remarqué comme elle est enflée et rouge ?

L'infirmière la rassure :

— Tout s'est passé aussi bien que possible. Ne vous inquiétez pas.

Marie réalise qu'elle ne se souvient pas de la dernière fois où sa sœur a été couchée par une mauvaise grippe ou une angine. C'est normal qu'Aminthe ait la mine défaite. Elle remercie, confuse, et revient vers la malade qui l'observe parce qu'elle sait qu'elles ont parlé d'elle. Elles restent ainsi longtemps l'une en face de l'autre. Les paupières d'Aminthe se ferment, elle dort un peu, puis elle rouvre les yeux sur le visage de sa sœur.

Alors Marie prend son sac à main, son manteau sur son bras.

— Il faut que je parte. La nuit vient vite. Veux-tu que j'en profite pour mettre un peu d'ordre dans ton appartement ?

Aminthe ne se défend plus, elle considère Marie de son œil las et soupire :

— Tu feras brûler les papiers que j'ai jetés sur le plancher.

Marie se sauve, honteuse d'avoir profité de sa faiblesse. Le chariot de l'infirmière est abandonné dans le couloir devant une chambre. Elle accélère le pas comme une voleuse.

— Il fait trop chaud ici, murmure-t-elle. Cette odeur d'hôpital me rendrait malade.

Mme Jeanne-Marie, qui l'attend devant sa porte, la rassure. Elle craignait de se retrouver toute seule dans sa maison.

— J'apporte de la lecture pour Aminthe, dit l'institutrice venue aux nouvelles. Elle aura le temps de lire, là-bas.

— Je vous remercie d'y avoir pensé. C'est justement ce qu'elle m'a demandé.

— Je passerai vous voir matin et soir. Tous les gens du quartier réclament de vos nouvelles.

— Merci, mais ce n'est pas pareil... J'avais toujours pensé que la première à être hospitalisée ce serait moi. Ils disent qu'elle va très vite remarcher, mais est-ce bien vrai ?

Quand elle se retrouve seule, Marie fait le tour de sa maison et vérifie les fermetures, s'occupe de son chat en poussant un chapelet de cris de détresse qui ne dérangent plus personne. Elle se couche plus tôt que d'habitude en s'adressant à ses parents sur le mur.

— Je ne sais pas sur qui je pleure. Nous sommes deux pauvres misérables ! Nous n'avons pas réglé nos affaires. Tout ce que nous avons prévu chez le notaire pourrait bien capoter...

Elle tire le chat qui s'endormait sur le couvre-pieds pour le prendre dans son giron. Le chat se tortille, lui échappe et bondit en miaulant sur le plancher. Il file dans la cuisine sans se retourner.

Elle surprend un bruit étrange, différent du

grondement lointain des autos, de la respiration du cèdre dehors, du choc du portail du parking contre le mur de la maison. Elle retient son souffle. On dirait le glissement feutré d'une porte qu'on retiendrait. Des frissons de peur lui parcourent le corps. Elle a laissé sa poire de Ventoline sur la table de la cuisine. Elle se lève, allume dans la cuisine, le corridor, vérifie une seconde fois les crochets des contrevents et les serrures, hésite à monter chez Aminthe. Elle trouve enfin, au bout de la grande maison dans le petit couloir du garage, la porte qui joint mal. Le pêne de la serrure a du jeu et le courant d'air venu du garage secoue les panneaux.

Marie hésite, glisse un bout de carton qui ne sert à rien. La clé à panneton fendu s'introduit dans une banale serrure d'armoire que n'importe quel apprenti crocheteur est capable d'ouvrir avec un simple fil de fer. Marie chausse ses sabots. Sa torche éclaire le brouillard de la cour, la porte de l'atelier, la boîte de clous à côté de l'établi. Ses coups de marteau résonnent joyeusement dans la nuit comme un appel à la résistance.

— Je suis plus tranquille, déclare-t-elle à sa mère en se recouchant. J'ai cloué la porte au chambranle. Après tout, ce garage ne nous sert plus à rien puisque Aminthe ne veut plus conduire la 4L. Les voleurs peuvent nous la prendre.

Elle appelle le chat qui glisse sa tête dans l'embrasure. Il bondit à sa place, se love en ronronnant.

— À mon tour de ronronner. Et ce ne sera pas le plus facile !

Le lendemain matin, Marie s'arme de courage, met son grand tablier bleu de devant, s'attaque à la chambre de sa sœur. Elle a l'impression de commettre un sacrilège mais, en même temps, elle s'en fait un devoir. Elle ne se souvient pas d'avoir vu Aminthe faire de ménage « en grand ». « Je remettrai tout en place. Je ne dérangerai pas ses affaires. Il y a tout à faire : les murs, les vitres, le plancher. Je ne sais pas comment elle pouvait vivre dans ce désordre. »

Elle commence par les papiers triés qu'elle descend et met à brûler par petits paquets dans la cuisinière. Elle remonte avec le balai, l'aspirateur. « Je veux que ce soit nickel et qu'Aminthe soit contente quand elle rentrera. Peut-être qu'elle me dira merci. »

Elle croyait en avoir fini à midi, mais quand le carillon sonne, elle n'a pas encore ciré le parquet ni les meubles. Elle s'arrête à peine pour manger, remonte s'agenouiller devant l'armoire, la commode, remarque l'emplacement vide de la photo de Fabien dans le cadre qu'elle frotte. Elle s'assoit pour reprendre haleine dans le fauteuil Voltaire qui lui tend les bras, remarque l'entassement de calendriers des postes sous les hauts pieds de la bibliothèque.

Elle en prend un, puis un autre, sort ses lunettes. Ils sont tous annotés de la main d'Aminthe. Il n'en manque pas un jusqu'à 1969, année de leur installation dans la maison. En même temps que les années, défilent les images d'Épinal d'une fillette tenant un ânon, un garçon caressant un chien, une femme riant à la fenêtre d'un chalet dans la vallée des Aravis. Les cartons les plus anciens ont même dans les œillets de cuivre une petite ficelle rouge pour les accrocher. Marie plonge dans ses souvenirs : les communions, les baptêmes, les mariages, les enterrements. Du doigt, elle parcourt les éphémérides, s'arrête aux inscriptions de sa sœur et lève un œil bleu rêveur...

Quand le carillon sonne trois heures, elle sursaute. Le temps a couru pendant sa recherche du temps perdu. Elle pose les calendriers sur le fauteuil. Elle reviendra les consulter plus tard, Aminthe l'attend sur son lit d'hôpital.

Marie prend le bus. La belle douceur hors saison est encore là. Les météorologues parlent d'été indien. Des vacanciers se baignent à Biarritz. Marie prend goût à ces promenades en bus à travers la ville. Le soleil derrière la vitre lui réchauffe les bras et les épaules. Des consommateurs en chemise sont installés aux terrasses des cafés et jouissent de ces heures volées aux mauvais jours. Le bus fait le tour de la grande place. Un employé de la ville pousse une remorque, avec un gros tuyau il aspire les feuilles de platanes. La silhouette d'un jeune dégingandé qui longe l'église lui rappelle le dos voûté du commis boulanger dont elle croit se souvenir.

« Si je l'avais regardé, si je l'avais vu, j'aurais

sûrement eu une tout autre vie... C'est peut-être cela, le destin... Je suis presque certaine qu'il m'a proposé une balade à moto... »

Son cœur s'échauffe à cette pensée. Elle s'imagine assise sur le siège derrière lui. Elle ne sait pas comment est fait un homme. Son père l'a à peine embrassée pendant son enfance. On n'était pas du genre démonstratif chez les Robin. Elle imagine les mains de son mari sur elle, et frissonne.

« Tu es folle ! Peut-être aurais-tu été malheureuse avec lui, si ça se trouve ! »

Son reflet de noix ridée dans la vitre la ramène à la réalité.

« Tu n'as pas honte de penser des choses pareilles ? »

Le car traverse la place circulaire dont un côté est en chantier. Les petites maisons anciennes à un étage ont été démolies. Et devant les gravats qui les remplacent, un panneau publicitaire vante les mérites des prochains immeubles en construction. Marie imagine un panneau semblable dans la rue Chanzy devant le trou de leur maison arrachée comme une vieille dent gâtée. Le soleil lui paraît soudain moins tiède, l'après-midi plus sombre.

Le bus traverse la porte des boulevards où autrefois commençait la campagne à présent urbanisée. La barre blanche du centre hospitalier départemental ferme l'horizon sur le versant de la colline en face.

Aminthe ressuscite et reprend des couleurs. Sa voix retrouve de la force. Elle presse le bouton de la commande électrique qui la redresse en position assise. Elle est contente des livres que Marie lui a apportés. Elle parle des infirmières, de la nourriture. Les deux sœurs passent un après-midi sans nuage. Et Marie s'en éloigne presque chagrine. Cette douceur inhabituelle la rend d'autant plus orpheline quand elle se retrouve dans le couloir. Elle s'engouffre dans l'ascenseur. Un chariot de malade lui barre le passage à la sortie.

— Vous avez pris l'ascenseur de service, grand-mère ! Vous n'avez pas le droit.

Elle bafouille, et se sauve dans le vaste hall de l'hôpital.

Lundi 11 novembre

Elle tousse en buvant son café. Elle a dû attraper ça en s'exposant sottement, la veille, au soleil malsain. La crainte d'être malade toute seule l'assombrit. Elle pousse la voix de la radio plus fort que d'habitude et tousse. Les larmes emplissent ses yeux. Le brouillard dense qui se bouscule contre les vitres de la cour ouate les bruits de la ville. A-t-elle rêvé ou vient-elle vraiment d'entendre frapper au contrevent de la rue ? Elle tourne le bouton du poste. Les coups retentissent à nouveau contre le bois. Elle ôte le crochet du volet. Pierrot et son père lui sourient, les bonnets de ski enfoncés jusqu'aux oreilles.

— Comment allez-vous ? lui demande le père. On a vu de la lumière alors on s'est permis de frapper. Nous arrivons de la boulangerie, le pain est encore chaud. En voulez-vous ?

Pierrot lui sourit, la baguette sous le bras, les mains dans les poches de sa parka.

— Et l'école ? Tu vas être en retard !

Il hausse les épaules. C'est vrai qu'on est le

11 novembre et qu'il n'y a pas d'école. Ils l'ont assez répété à la radio. Avec tous ces événements en si peu de temps, elle est un peu chamboulée. C'est jour férié, et ce n'est pas seulement à cause du brouillard que les bruits de la ville sont si discrets. Marie s'empresse de tourner la clé de son entrée.

— Vous avez bien fait. Je viens de passer du café. J'ai déjà pris le mien, mais je recommencerai avec vous.

Elle ne leur dit pas qu'elle a avalé ce premier sans goût, sans pain, sans rien. Elle range le bas à repriser abandonné la veille au soir sur le bout de la table, charge la cuisinière d'une pelletée de charbon, les installe aux meilleures places, le dos au feu, sort les bols, le beurre, la confiture de coings. Ils l'obligent à se préparer des tartines.

— Si vous ne mangez pas, on ne mange pas non plus.

Elle les interroge sur leur programme de la journée. Pierrot doit accompagner son père à un tournoi de sport de la gendarmerie, mais il s'ennuiera. Il n'y aura pas d'autres enfants. Ou s'il y en a, on les accusera de commettre des bêtises.

— Tu peux rester avec moi, si tu veux. Nous nous occuperons des pigeons. Nous irons voir Aminthe à l'hôpital.

Le petit se tourne vers son père et l'interroge des yeux.

— Il faudrait d'ailleurs que nous libérions ces

pigeons, maintenant, insiste Marie. Ils sont habitués à manger chez nous, ils ne partiront pas.

Le père oppose une molle résistance.

— Pierrot vous embêtera peut-être toute la journée.

Et puis il demande à son fils :

— Tu préférerais rester avec Marie ?

Pierrot hoche la tête.

— Eh bien, si Marie veut de toi, je t'autorise à rester avec elle !

— Oui ! s'écrie Pierrot, et il manque de renverser son bol.

— Attention !

— Il faut que je prépare mes affaires ! Est-ce que je pourrai amener mon vélo ?

— Bien sûr, tu le laisseras dans le jardin l'après-midi. Nous irons à l'hôpital en bus.

— Tu seras sage, lui recommande le père. Mlle Marie est gentille avec toi. Si j'apprends que tu as été désobéissant, gare !

Pierrot revient presque aussitôt parti.

— Coucou ! dit-il coquin, quand elle lui ouvre.

Ses affaires sont fixées sur son porte-bagages. Il porte aussi son cartable sur le dos comme pour aller à l'école.

— Alors, on s'occupe des pigeons ?

— Doucement ! Attends qu'on y voie plus clair.

Le molleton de nuages continue de traîner sur

242

les toits de la ville et la lumière n'arrive pas à le percer.

— Si on les laisse s'échapper dans ce brouillard, ils vont se perdre et on ne les reverra plus. Puisque tu connais l'appartement d'Aminthe, tu vas monter avec moi. Je veux nettoyer sa salle de bains.

Pierrot ouvre son cartable, en sort *L'Île au trésor* qu'il montre à Marie. Ils montent lentement, l'un derrière l'autre, le petit devant avec son livre, Marie derrière avec l'éponge et le produit à récurer. Il découvre les calendriers sur le fauteuil.

— Qu'est-ce qui a sorti ça ? Aminthe ne sera pas contente !

L'identité de la coupable ne fait aucun doute dans son esprit. Il s'agenouille sur le tapis, étale les années devant lui et regarde les images tandis qu'elle continue son nettoyage. Elle revient avec le flacon de parfum d'Aminthe, presse le bouton et vaporise le cou du petit.

— Chut ! dit-elle, et elle s'en met à elle aussi.

Quand ils descendent, le brouillard s'est levé. Des étincelles de soleil pétillent à la tête du cèdre. Les bisets, côte à côte sur leur perchoir, considèrent leurs visiteurs en tendant le cou d'un côté puis de l'autre, comme s'ils attendaient quelque chose ou quelqu'un.

— C'est toi qui ouvres la porte, propose Marie. La petite main hésite.

— Tu es sûre qu'ils reviendront ?

— On n'est jamais sûr de rien. Pour le savoir, il faut ouvrir.

— Pompon ne les mangera pas ?

— Ils ont des ailes.

Pierrot soulève le loquet de bois. La porte est grande ouverte. Les pigeons restent blottis sur leur perchoir.

— C'est parce qu'ils se trouvent bien. Ils n'ont pas envie de partir.

Le biset mâle se hasarde enfin sur le seuil de la cage. Il hésite, se rengorge, se retourne vers sa pigeonne, ouvre les ailes, et dans un froissement de soie s'envole jusqu'à sur le mur de l'école. Il marche sur la couverture de tuile et, de son promontoire, appelle :

— Roû-roû.

La pigeonne s'envole à son tour. Jusqu'à l'heure de leur départ pour l'hôpital Pierrot effectue la navette de la maison à la cage pour voir si les pigeons sont revenus. Mais la cage reste vide.

Aminthe les accueille assise dans son fauteuil, à côté de son lit, les jambes au soleil près de la fenêtre. Elle tend les bras à Pierrot.

— On t'a laissé venir me voir. Comme c'est gentil ! Je n'y croyais pas. Tu remercieras ton papa.

— Tu es guérie ? demande Pierrot en l'embrassant.

— Je crois bien que je reconnais là un parfum qui ressemble au mien.

Pierrot se retourne vers Marie.

— On a nettoyé ta salle de bains, explique Marie rougissante, et on s'est vaporisés avec ton flacon.

— Vous avez bien fait, vous me l'apporterez demain si vous y pensez, les rassure Aminthe en approchant encore le nez du petit cou.

Elle demande à Marie d'ouvrir la boîte de biscuits offerte par une visiteuse. Pierrot a apporté *L'Île au trésor.*

— Tu veux que je t'en lise une page ? Je ne sais pas si j'aurai assez de forces pour lire bien longtemps.

L'infirmière rentre à ce moment-là.

— Eh bien, dites donc, je vois qu'on ne s'en fait pas ! Il est à vous ce joli petit garçon ?

— Presque.

Elle dépose les pilules bleues, blanches, roses, dans la boîte ronde sur la tablette.

— Vos petits bonbons, minaude-t-elle.

Elle ne porte presque rien sous sa blouse blanche. À son passage près de la fenêtre, le soleil révèle les fuseaux de ses jambes par transparence.

— Tu sais comment je l'appelle ? chuchote Aminthe assez fort pour être entendue.

Pierrot hausse les épaules.

— Ma poupée Barbie !

— Elle a de beaux yeux verts, murmure Pierrot avec un petit sourire au bord des lèvres.

— Oh ! le coquin, s'exclame l'infirmière qui rosit. Votre sœur est une malade facile, dit-elle à Marie, et elle sort, la démarche vive.

Facile, Aminthe ? Peut-être les pilules de couleur annihilent-elles sa volonté. Peut-être l'accident de l'escalier et ce qui l'a précédé ont-ils sonné le glas des luttes et de la colère. Elle demande à Pierrot :

— Quel chapitre veux-tu que je te lise ?

— La prise de l'*Hispaniola* par Jim Hawkins.

Il s'assied sur le lit à côté d'elle. Marie, sur sa chaise, leur tourne le dos et regarde par la fenêtre. Elle écoute un moment, puis elle pense surtout que l'après-midi avance et que, tout à l'heure, elle va se retrouver toute seule dans sa grande maison.

Quand ils arrivent rue Chanzy, Pierrot court jusqu'à la cage des pigeons.

— Ils sont revenus ! Ils sont revenus !

— Tu ne sais pas ce qu'on va faire ? On va leur donner à manger et à boire, et on fermera leur porte. J'ouvrirai demain matin. Comme ça, ils prendront l'habitude de rentrer manger et dormir.

— Je pourrais dormir avec toi, cette nuit, propose-t-il en rabaissant le loquet. Je serai tout près pour aller à l'école...

— Tu voudrais être là pour leur ouvrir la porte...

Elle secoue la tête :

— Tu sais ce qui s'est passé... Ton père ne voudra pas.

— Pourquoi il ne voudra pas ? Si on lui demande...

246

— Où coucheras-tu ? Tu ne vas pas dormir là-haut, tout seul dans la chambre d'Aminthe ?

— J'ai un matelas en mousse. On le mettrait dans la cuisine. Je n'aurais pas froid.

— Tu crois ?

Pierrot est reparti chez lui. L'ombre l'a rapidement emporté et la nuit est là, maintenant. Marie a ajouté un œuf à bouillir dans la casserole, et quelques pommes de terre dans le four. L'espoir de la compagnie du petit lui a redonné de l'appétit. Le temps a passé. Elle n'espère plus.

— C'est bien fait ! dit-elle. Tu n'es pas plus sensée que ta sœur. Tu marches tout de suite dans ses inventions !

Le carillon sonne huit heures. On frappe. Marie se précipite. Le père et le fils sont chargés du matelas, des draps, des couvertures, du pyjama de Pierrot.

— C'est de la folie ! s'excuse le père. Il a tellement insisté que j'ai cédé. C'est la dernière fois. Vous êtes d'accord au moins ?

— Bien sûr, je vous attendais.

— J'ai honte. Il y a quelques jours on accusait votre sœur de le séquestrer chez vous, et je vous l'amène avec son matelas.

— On ne dira pas à ma sœur qu'il a dormi là, dit-elle ravie de prendre sa revanche. N'est-ce pas, Pierrot, tu ne diras rien ?

Le petit hoche la tête en riant. Marie déplie des journaux sur le sol pour protéger le matelas.

Après, quand ils sont seuls à table, alors que Pierrot mange son œuf à la coque :

— Ç'a été facile d'obtenir l'autorisation de ton père ? lui demande-t-elle.

— Oui... assez... il avait gagné son match.

Elle ouvre une pomme de terre cuite au four et y glisse une noix de beurre. Il enfonce sa petite cuiller dans la chair moelleuse, sous la peau dorée.

— Méfie-toi, elles sont brûlantes.

— Aïe ! c'est chaud !

— Je t'avais prévenu.

Elle lui propose de partager sa tisane d'anis étoilé.

— C'est bon pour la digestion et le sommeil. Si tu n'aimes pas, on la jettera.

Le petit grimace, s'oblige, s'habitue à l'amertume de l'anis, vide sa tasse.

— Tu es un bon petit soldat, lui dit-elle.

Il se met à chanter.

— Si tu te déshabillais en chantant ? Il est bientôt l'heure de dormir.

Elle lui prend ses vêtements qu'elle plie, s'agenouille pour border son matelas.

— J'espère que tu n'auras pas froid.

Pompon, qui était déjà allé rejoindre sa place sur le couvre-pieds de Marie, est revenu avec des miaulements d'habitudes contrariées. Pierrot l'appelle, tout bas :

— Pompon ! Pompon !

Le chat s'approche, donne des coups de tête contre le matelas, saute sur la couverture. Cette nuit il déménage, il a choisi Pierrot. Marie éteint la lumière de la cuisine, passe dans la chambre.

— Laisse la porte ouverte ! lui demande Pierrot.

Elle chuchote à sa mère en ôtant ses épingles à cheveux :

— Je n'ai pas peur, ce soir, comme si ce drôlet était capable de me défendre ! Je l'entends respirer. Je suis sûre qu'il dort déjà.

Elle interroge, tout bas :

— Tu dors ? Tu dors ?

Pas de réponse. Le poids de la boule chaude de Pompon lui manque sur les pieds. Elle se tourne, arrange les couvertures, retient sa respiration pour écouter encore.

— Je n'aurai pas de crise d'asthme, cette nuit. Je suis tranquille, je n'ai pas besoin de Ventoline.

Quelques jours plus tard, elle reçoit une lettre qu'elle apporte à l'hôpital. Aminthe n'est plus seule dans sa chambre. Une fillette de quatorze ans, victime d'un accident de vélomoteur, attend d'être opérée ; elle pleure sans cesse. Sa compagnie ne devrait être que provisoire. La présence d'une vieille dame avec une mignonne gamine n'est pas réconfortante, selon Aminthe. Elle essaie pourtant de la consoler comme elle peut :

— Tu ne devrais pas pleurer ! Dans huit jours, tu trotteras comme un lapin. Tu auras envie de remonter sur ton vélomoteur.

— Non, je n'y remonterai jamais !

L'état d'Aminthe est stationnaire. L'âge, la lourdeur sont un handicap. Elle se bat pourtant, mais son derrière n'arrive pas à suivre les exercices de rééducation. On lui a amené un déambulateur. Elle se cramponne aux poignées et s'applique de toutes ses forces, elle n'arrive pas à se relever de son fauteuil. Elle en pleurerait. Il lui faut l'aide du kiné pour se mettre debout. Après, une fois entre les mancherons, ça marche. On lui recommande un séjour de quelques jours au pavillon des convalescents de Bon Repos, pour poursuivre sa rééducation. Aminthe ne se berce pas d'illusions : pour combien de temps ?

Marie chuchote à côté de sa sœur. La petite leur tourne le dos. Les infirmières sont venues la préparer pour l'emmener. La lettre qu'elle a reçue vient du notaire. Il leur fixe rendez-vous début décembre, à quatorze heures, exactement le 3. Il ne sait pas, bien sûr, qu'Aminthe a été hospitalisée.

— Nous serons au rendez-vous, dit-elle.

— Tu es sûre que tu pourras marcher ?

Les yeux d'Aminthe s'enflamment.

— Même si je dois marcher sur les mains, j'irai !

Elle rit parce qu'elle s'imagine marchant sur les mains.

— Je marcherai ! répète-t-elle avec fermeté. C'est bien pour signer les actes ?

— Oui.

Les parents de la petite entrent, puis les infirmières. Elles déplacent le lit, le roulent dans le couloir. La petite pleure, appelle sa mère. Le chariot s'éloigne.

— René, notre frère, est venu me voir.

— Et alors ?

— Alors rien. Il m'a dit que j'avais bonne mine, que je n'aurais pas dû attendre l'accident pour être opérée. Il va subir, après Noël, une banale opération de la cataracte. Il a plaisanté : « Tout le monde aura bon pied bon œil dans la famille, après ! »

— Eh bien, dis donc !

— En partant il a ajouté : « J'espère que maintenant vous allez vous décider à régler vos affaires. Ça ne peut plus continuer comme ça. Tu te vois monter et descendre l'escalier de votre maison ? » Il n'est probablement venu que pour me dire ça. Je l'ai rassuré : « Nous serons débarrassées de la maison avant la fin de l'année ! » Je ne lui ai pas dit comment !

Les deux sœurs rient comme des chipies qui ont préparé une bonne farce.

— J'ai du mal quelquefois à l'idée qu'on va être dépouillées..., murmure Marie redevenue sérieuse.

— Dépouillées de quoi ?

— De tout, nos affaires, nos habitudes...

— Est-ce que tu crois que moi, ici, je ne suis

pas dépouillée ? grogne Aminthe. La vie nous dépouille tous les jours, même si on ne le veut pas...

La porte est restée ouverte. Des visiteurs circulent dans le couloir.

— J'ai envie de marcher ! Approche-moi mon déambulateur !

— Tu es sûre que tu le peux ? s'exclame Marie inquiète.

— On verra bien. Apporte.

Elle a retrouvé ses gestes autoritaires. Elle se place entre les mancherons, laisse glisser ses fesses au bord du fauteuil, saisit les poignées, tire sur ses bras, mais ne décolle pas.

— Aide-moi !

— Comment ?

— Tire-moi ! Non, pas comme ça ! Pousse-moi derrière !

Aminthe s'agrippe au déambulateur, s'acharne, se dresse.

— Allez ! Allez ! encourage-t-elle sa sœur.

Elle abandonne. Ses épaules se sont soulevées, son tronc s'est étiré, ses fesses n'ont pas bougé du siège. Les deux sœurs, épuisées, se regardent, les larmes aux yeux.

Aminthe ne s'est pas trompée. Les jours s'additionnent aux jours dans le pavillon pour convalescents, sans résultat. Elle répète depuis une semaine, avec un entêtement opiniâtre, les séances de kiné reéducationnelle de la charnière lombo-sacrée. À chacune de ses visites Marie la retrouve toujours pareille, écrasée dans son fauteuil.

— Je n'y arrive pas ! hurle-t-elle avant qu'elles aient échangé le moindre mot. Je ne marche encore pas !

Elle pose sur le bas de son corps un regard haineux, bouge les pieds, les jambes, soulève les cuisses, en robe de chambre.

Les médecins eux-mêmes ne s'expliquent pas son immobilité. Ils lui ont ordonné des radios complémentaires.

— Tout va bien ! ont conclu en chœur le radiologue et le chirurgien. Ne soyez pas impatiente. Continuez vos efforts.

Elle ne capitule pas. Elle tend tout son méchant caractère de chien vers cet espoir de plus en plus improbable à mesure que les jours passent : marcher toute seule. Même aux pires moments, après une heure d'exercice en compagnie de son rugbyman de kinésithérapeute, quand il l'assoit en lui disant : « Maintenant vous êtes capable de vous relever ! », et qu'elle reste prisonnière, comme un scarabée sur le dos, battant des pattes et des bras ; même lorsqu'il lui suggère : « On devrait peut-être essayer un fauteuil roulant, ce serait une solution d'attente... » ; elle ne lâche pas prise. Elle a les larmes aux yeux. Mais sa rage la nourrit.

Elle sait que, désormais, les jours sont comptés avant qu'on l'expédie sur un fauteuil roulant. Elle supporte sans broncher l'humiliation d'être mise en position verticale par deux infirmiers qui l'accompagnent jusqu'à la salle de bains. Elle se soucie comme d'une guigne de sa nudité exposée à leur surveillance. Pour se punir, elle ferme résolument le robinet d'eau chaude sous la douche et s'asperge d'eau froide. Elle suffoque. Les infirmiers se précipitent.

— Quelle idée, par un temps pareil !

Le froid a brutalement succédé à l'été indien. En quarante-huit heures, la température a chuté de quinze degrés. Les matins mettent des bonnets de gelée blanche. La ville sur la hauteur face à Bon Repos a une présence inhabituelle. On dirait que les murs de la caserne et les tours carrées de l'église se sont rapprochés. Aminthe aimerait marcher autour.

« Je n'ai jamais eu autant envie d'arpenter cette ville. J'aimerais mettre le manteau, les bottes, les gants, et sentir le froid à glace me piquer la figure. »

Le kiné arrive. Ils reprennent les exercices banals. Il la met dans le déambulateur qu'Aminthe appelle en plaisantant « ma bicyclette ! », la ramène à son fauteuil. Elle n'attend pas son ordre pour essayer de se relever. Elle sent, ce matin, dans ses reins, une énergie qui la pousse à croire que c'est possible. C'est peut-être à cause de la limpidité de l'air. Elle s'agrippe au guidon. L'effort lui mouille les tempes. Et devant le regard stupéfait du kiné, le miracle se produit : elle se déplie, se soulève, décolle du fauteuil, se redresse, flageole, et avance une jambe, puis l'autre.

— Vous alors !... s'exclame le kinésithérapeute. Et elle :

— Je marche toute seule !

— Je vous avoue que je n'y croyais plus.

— Je savais que vous m'aviez condamnée au fauteuil !

— C'est votre sacré caractère que vous a sauvée ! Vous prouvez qu'avec la volonté on peut réussir des miracles !

Elle revient à son fauteuil, s'assied, reprend les mancherons et, une seconde fois, se dresse, lentement encore, péniblement, mais sans aucun doute plus facilement.

— Je suis ressuscitée, murmure-t-elle émue à l'infirmière appelée par le kiné pour voir la convalescente. Ce n'est pas un accident puisque je peux recommencer !

L'après-midi, elle guette la venue de Marie qui ne vient pas toute seule, Mme Jeanne-Marie l'accompagne. C'est mieux : deux témoins valent mieux qu'un. Elle les laisse s'installer autour de l'infirme qu'elle est devenue, et prendre de ses nouvelles. Puis sans un mot, elle empoigne le guidon et, encouragée par leurs cris, elle se lève et marche avec une facilité qui la surprend elle-même. Elles ouvrent la porte du couloir et sortent d'un même élan à la queue leu leu. Marie devenue bavarde explique aux infirmières :

— Elle a toujours été comme ça. Toute petite,

déjà, elle avait le derrière lourd ! Elle n'a marché qu'à dix-huit mois ! Papa et maman commençaient à s'inquiéter. Elle se traînait par terre dans la maison. Et puis un jour, sans savoir ni pour qui ni pour quoi, elle s'est redressée.

— Soixante-dix-huit ans après, mon derrière lourd m'a joué le même tour ! Je ne sais pas ce que je pensais à dix-huit mois. Je ne pouvais pas être plus contente qu'aujourd'hui. Maintenant, il faut que j'apprenne à me passer de ma bicyclette. Ce serait bien, si je partais d'ici avec des cannes.

Mardi 3 décembre

Le personnel arrive dans le désordre à Bon Repos, un peu comme il peut. Il a neigé, et il neige encore. Le café n'a pas le même goût que les autres jours, selon Aminthe. Elle est descendue toute seule de son lit. Et, installée dans son fauteuil devant la fenêtre, elle rêve face à la ville couverte de neige au lever du jour.

Quelques rares flocons tournoient encore devant la lune très pâle comme une lanterne oubliée. Le manteau blanc ne mesure que cinq ou six centimètres, mais il enchante Aminthe le jour de sa sortie. Il n'a pas neigé depuis si longtemps, encore moins en décembre !

Aminthe se rappelle les hivers de son enfance. Alors le froid était plus vif. Peut-être aussi était-on moins bien chauffé. En tout cas, aux alentours du nouvel an, on n'échappait pas à la neige. Elle se souvient d'une matinée comme celle-là avec un ciel bleu et un soleil orange. C'était certainement avant l'accident, puisque leur père roulait une boule de neige avec ses filles dans la cour de la

Limouzinière. Il lui semble entendre le crissement de la neige sous leurs galoches. Elle sent contre ses doigts l'humidité glacée qui imprègne ses mitaines, respire cette odeur des jours de neige qui ensevelit toutes les odeurs, une odeur sans odeur.

Leur père avait dirigé la fabrication du bonhomme de neige. Elle voit la carotte fichée dans sa tête en guise de nez. Elle écoute leurs cris dans l'air de cristal. Par-delà le temps, l'écho de leurs rires la rejoint dans sa chambre d'hôpital. Ce matin, son café a une odeur de neige, un parfum de bonheur retrouvé.

À midi, sa valise est prête. Elle est lourde. Sa robe de chambre, ses chemises, ses chaussons, ses livres, son nécessaire de toilette et tous les objets que sa sœur lui a apportés pendant trois semaines ont eu du mal à y loger. Elle laisse aux infirmières les quelques plantes en pot que ses visiteuses du club lui ont offertes. Pourquoi s'en encombrer ?

Elle va et vient dans le couloir sur ses cannes anglaises que le kiné lui a remises hier. Leur maniement demande de l'entraînement. C'est mieux que l'encombrant déambulateur. Elle regarde sans cesse sa montre. Ses cheveux sont un peu trop frisés, trop laqués à son goût. La matinée a été largement occupée par les soins de la coiffeuse.

— Alors, ça y est, vous nous quittez ? demande une infirmière. Vous ne voulez pas rester encore un peu avec nous ?

— Qu'est-ce que vous feriez de moi ? Il faut se décider à partir un jour.

— Nous ne vous oublierons pas.

Elle éprouve un pincement idiot au cœur. Ils ont vécu si intimement pendant ces jours. Elle a été levée, lavée, nourrie. Comme elle était curieuse, elle a posé des questions sur les maris, les femmes, les enfants, les maisons. Elle a tellement souhaité fuir sa chambre d'hôpital et maintenant elle éprouverait presque une absurde nostalgie.

L'ambulancier ne la conduit pas rue Chanzy. Elle béquille à l'entrée de l'immeuble du cabinet de notaire où Marie, tout en noir, et Mme Jeanne-Marie, en manteau à col d'astrakan, l'attendent. Elle s'emplit les poumons de l'air neuf en contemplant le blanc manteau qui semble vouloir tenir. Deux religieuses de la communauté des Sœurs de Mormaison, convoquées au rendez-vous en même temps qu'elles, les accueillent dans la salle d'attente :

— Mademoiselle Aminthe, nous sommes si contentes ! Vous avez bonne mine !

Mère Marie-Françoise, la supérieure de la congrégation, est une petite femme trapue à l'allure paysanne. Son adjointe, ou son chauffeur, au teint de cierge, est longue, garçonne. Elles ne portent ni l'habit ni le voile, elles sont discrètement vêtues de jupes grises et de gilets bleus. Les conversations tournent autour de leur santé et du temps, mais les cinq femmes ont l'esprit tout tendu vers ce qui vient. Les éclairs de l'attente traversent leurs regards pendant qu'elles parlent de choses ordinaires. Mme Jeanne-Marie ne peut se retenir d'y faire allusion en demandant à mère Marie-Françoise :

— Vous avez bien apporté les papiers ?

Mère Marie-Françoise montre le porte-documents sous le bras de la grande religieuse. Marie ouvre son sac et vérifie qu'elle n'a rien oublié, pour la dixième fois. Le notaire s'avance en complet croisé et pull à col roulé, les dominant toutes de sa haute taille :

— Pardonnez-moi, mesdames, je ne savais pas que vous étiez là, on ne m'avait pas prévenu.

Il va à Aminthe, s'enquiert de sa santé.

— Excusez-moi de vous avoir fait attendre !

Il reste à l'arrière près d'elle qui ferme la marche avec ses cannes. La secrétaire apporte le dossier sur le bureau de son patron. Il s'assoit dans son fauteuil de cuir. La lumière qui ruisselle par la fenêtre, blanche de la réverbération de la neige sur les toits, éclaire dans un cadre la photographie d'une femme et de trois enfants. Il tire de sa veste un crayon de métal doré et, en commençant d'agiter ses longues jambes sous sa table :

— Nous nous retrouvons donc, dit-il en tournant les pages du dossier notarié, pour la signature de l'acte de donation de la maison de la rue Chanzy. Vous êtes bien d'accord, personne n'a changé d'avis ?

Il interroge les cinq femmes du regard.

— Ce n'est pas nous qu'il faut interroger,

déclare mère Marie-Françoise. Quand on reçoit un cadeau, on n'a qu'un mot à dire : merci.

— Nous n'avons pas changé d'avis, dit alors Marie d'une voix plus ferme qu'à l'ordinaire.

— Je pense comme ma sœur, confirme Aminthe.

— Bien, dit le notaire. Nous avons donc préparé l'acte par lequel Mlles Marie et Aminthe Robin, ici présentes, donnent à la communauté des religieuses du Sacré-Cœur de Mormaison, leur maison du 26, rue Chanzy, la cour, le jardin et l'atelier attenant...

Il tient une règle de bois d'ébène qu'il déplace sur les lignes. Sa lecture est rapide, à la limite du compréhensible. Il lève occasionnellement les yeux de son texte, vérifie l'attention de ses auditrices, et replonge dans sa lecture.

— En échange, continue-t-il, les Sœurs de Mormaison s'engagent à recevoir Mlles Robin dans leur maison mère, les héberger, les nourrir, les soigner comme deux de leurs sœurs, jusqu'à leur mort.

Les deux religieuses acquiescent de la tête. Le notaire lève sa règle et la pointe comme une baguette.

— Étant bien entendu — et l'engagement est formel — que la maison de la rue Chanzy sera annexée à sa voisine, l'école Jeanne-d'Arc, propriété de la communauté, et qu'elle ne sera en aucun cas rasée ou extérieurement modifiée jusqu'à la disparition des sœurs Robin.

— Et bien au-delà, nous l'espérons ! ajoute Mme Jeanne-Marie tout sourire. La maison va être aménagée en salles des professeurs et centre de documentation. Nous ouvrirons une porte dans le mur de la cour et le jardin restera comme il est. Nous ne toucherons pas au cèdre.

— Encore heureux !

Le notaire oublie ses papiers et s'adresse à Aminthe et Marie.

— Ainsi vous gagnez sur toute la ligne : vous préservez votre habitation et vous évitez la maison de retraite ! Laquelle de vous deux, si ce n'est pas indiscret, a eu cette idée ?

Aminthe se tourne vers sa sœur.

— C'est elle.

Le notaire active les jambes sous son bureau.

— Vous avez eu, un jour, envie de devenir religieuse ?

— Non, jamais.

— Quand le maire et ses agents vont apprendre la nouvelle, ils ne seront pas très contents... Vous faites obstacle à leur projet et ils ne peuvent rien contre vous puisque vous sauvez la maison par une bonne action, en la donnant à une école.

— J'avais surtout peur des promoteurs, explique Marie en levant vers lui ses yeux bleus innocents, c'est comme ça que l'idée m'est venue...

— Nous sommes allées visiter Mormaison avec Mme Jeanne-Marie, ajoute Aminthe. Ce n'est pas le Club Med ! Nous n'attendons pas cela à quatre-vingts ans ! C'est un endroit qui nous convient, au bord de la Boulogne. Cela nous rappelle notre Limouzinière. Ce qui nous aurait plutôt retenues, ce sont les cloches qui sonnent souvent pour les offices. Je n'ai pas envie d'être bonne sœur, moi non plus. Mais le Sacré-Cœur est un lieu pour des femmes, où tout le monde est utile, même les plus vieilles. Personne ne paraît au rebut, comme dans les autres maisons de vieux...

Elle prend à témoin les religieuses ravies de cette appréciation flatteuse.

— Vous êtes des jeunettes, dit en riant mère Marie-Françoise : la moyenne d'âge de nos sœurs aînées est de quatre-vingt-dix ans ! Vous ne serez pas tenues au régime et aux prières des religieuses, vous aurez la liberté des visiteuses, vous serez comme des visiteuses... abonnées.

— On va encore nous accuser d'être indignes, et sûrement nous le sommes. Ils croyaient nous posséder avec leurs millions. Pour quoi faire ? À notre âge, c'est trop tard. Et ça ne nous déplaît pas de leur jouer ce tour...

Les jambes du notaire se sont immobilisées. Il sourit à ces deux résistantes peu ordinaires qui le surprennent. Il recherche sa ligne sur l'acte avec sa règle.

— J'achève la lecture, dit-il, et vous signez.

La neige a tenu tout le jour à cause du vent du nord et, à la tombée de la nuit, les branches du cèdre ont frissonné sous la caresse de la brise d'ouest. Les aiguilles ont lâché des paquets de neige. La fonte a commencé.

Aminthe couchée dans son lit entend couler la neige dans la gouttière. Son murmure sur le zinc chante comme un rire. Elle s'est assise, avant de s'allonger, sur le tabouret du piano et a joué du Chopin. Ses doigts n'avaient rien perdu de leur agilité, et la musique coulait de ses mains comme une eau cristalline.

À plat dos sur son matelas, les yeux clos, elle pense : « On n'est jamais mieux que chez soi. Les lits à Bon Repos étaient trop étroits, et les matelas trop durs. Heureusement, les sœurs ont été d'accord pour que nous emmenions nos lits et nos armoires. Je déménagerai aussi mon piano qui restera à la communauté. René se mettra en colère lorsqu'il apprendra que tout l'héritage file à Mormaison. C'est sa faute. Tant pis pour lui. » Elle se tourne sur le côté, remonte les jambes sous elle. « C'est incroyable : je bouge et ne souffre pas ! Bientôt, c'est sûr, je me passerai de canne. C'est peut-être l'euphorie du retour et le contentement d'avoir joué ce bon tour, je ne me souviens pas d'avoir été aussi bien. »

Elle écoute la gouttière murmurer et rire. Les deux petites filles aux chapeaux noirs marchent dans sa tête tandis qu'elle s'endort. Mais elles ne l'impressionnent plus. Elle aurait du mal à expliquer pourquoi. La photo de Fabien n'est plus dans le sous-verre sur la commode. La maison appartient désormais aux Sœurs. Aminthe a l'impression qu'elle va pouvoir vivre enfin, délivrée du poids de toutes ces choses qui pesaient sur ses épaules depuis son enfance gâchée. Elle déplace autour de sa langue le reste du bonbon qu'elle suce depuis son coucher et sourit.

« Demain, il n'y aura plus de neige, je marcherai dans la cour. »

Marie ne dort pas. Elle entend couler l'eau dans la gouttière comme un sanglot. Elle tire le drap sur ses oreilles, se glisse au fond de son lit, se tourne, se hisse sur l'oreiller, rallume la lumière.

— Tu devrais pourtant être heureuse, ta sœur est revenue ! Tu n'as plus de raison d'avoir peur.

Elle répond à sa mère.

— La signature, chez le notaire, m'a bouleversée. J'ai peur : je ne sais pas si nous avons bien fait. Nous aurions pu attendre. Aminthe a monté facilement l'escalier. C'est la faute de ces gens qui voulaient nos affaires. J'ai l'impression d'avoir les mains vides, de n'être plus rien.

Elle se tait, écoute la neige se répandre en sanglots sur le zinc, s'essuie le coin des paupières avec le bout du drap.

— Tout ça me brouille la tête. Qu'est-ce que je vais devenir ? Je n'aurai plus mon petit train-train là-bas. Pourquoi est-ce que je me lèverais, si je n'ai pas à recharger mon fourneau et m'occuper de mon ménage ?

Elle trouve son mouchoir sous son oreiller, s'essuie à nouveau les yeux, se mouche. Elle boutonne les poignets de sa chemise de nuit.

— C'est vrai que c'est la meilleure solution. Le notaire était de cet avis. Seulement maintenant, il faut que j'arrive à m'arracher ! Le temps a passé tellement vite ! Toi aussi, mon pauvre Pompon, tu devras t'habituer. Tu ne sais pas ce qui t'attend. On a la permission de t'emmener avec nous.

Elle se laisse descendre à l'intérieur du lit, les pieds sous Pompon. Ses cheveux ébouriffés auréolent sa tête. Elle tire frileusement le couvre-pieds sur ses épaules, dérange le chat qui bouge dans son sommeil et frissonne des pattes.

— Tu seras peut-être mieux qu'ici... C'est immense là-bas. Tu n'auras pas qu'un cèdre pour tes acrobaties. Il y a de grands arbres partout et autant d'oiseaux pour te distraire !

Elle éteint et continue tout haut :

— J'ai confiance en la Bonne Mère qui a une figure de femme comme nous. Aminthe a raison, il faut tourner la page. On commence une nouvelle vie. Nous sommes des jeunettes, la moyenne d'âge des aînées est de quatre-vingt-dix ans, il nous reste donc au moins dix bonnes années à vivre !

Elle tousse. Le carillon sonne. La neige jase dans la gouttière.

Mercredi 14 mars

À quinze heures, la Peugeot bleue de Mme Jeanne-Marie s'engage entre les piliers du portail de la maison mère des religieuses. Aminthe ouvre la portière de la passagère à côté de la conductrice, descend en pantalon pied-de-poule. Le feu du soleil derrière les vitres lui a rougi le visage. Elle ne boutonne pas son manteau-redingote et se tourne vers la longue enfilade de bâtiments cimentés de gris, la main à son front en visière, la canne dans l'autre.

— Eh bien, nous y voilà ! dit-elle.

Le soleil joue avec le mica des encadrements de granit des fenêtres. Pierrot descend à son tour, coiffé de sa casquette de base-ball.

— C'est super pour jouer au cricket ! dit-il.

Et il lance sa balle à travers la vaste cour entre les garages.

— Pierrot ! lui crie Marie en s'extirpant de la voiture derrière lui, tu as promis d'être sage !

Mme Jeanne-Marie, qui a ouvert le coffre, en

sort un panier d'osier flambant neuf, sur lequel Marie se penche.

— Comment va-t-il ? demande-t-elle en scrutant à travers le fin treillis du couvercle.

— Votre Pompon va tout à fait bien. Il est moins inquiet que vous, mais il a hâte de courir !

— Il y restera jusqu'à ce que je l'enferme dans ma chambre. Il n'aura pas tout de suite l'autorisation de sortir !

La porte de l'entrée s'ouvre et mère Marie-Françoise s'avance en souriant sous la blanche statue du Sacré-Cœur.

— Vous voilà, mesdames ! Nous vous attendions ! Nous pouvons nous embrasser, dit-elle, puisque vous êtes de la famille maintenant !

Pierrot accourt, ôte sa casquette, attendant son tour. Elles éclatent de rire. Une sœur traverse la cour et les salue, un bouquet de jonquilles à la main. La petite religieuse concierge, toute fluette comme Marie, se lève de la table où elle tricote au fond de l'entrée et s'approche pour les accueillir.

— Alors, c'est vous nos nouvelles pensionnaires ?

Elle les regarde attentivement.

— Mais nous vous avons déjà vues...

— Les déménageurs ne sont pas encore là ? Nous allons faire un tour du propriétaire en les attendant.

Mère Marie-Françoise les conduit jusqu'au cloître vitré pour leur montrer la cour d'honneur qu'on vient de bitumer. Tout est d'une propreté impeccable, ce qui ne déplaît pas à la méticuleuse Marie. Des cantiques s'élèvent du fond du cloître.

— La chorale répète. Nous comptons sur vos talents de musicienne, mademoiselle Aminthe, pour nous aider à chanter.

Pierrot lance sa balle dans le parc, sa parka rouge court d'arbre en arbre. Un essaim de sœurs jardinières s'affaire avec des bêches et des râteaux dans les plates-bandes et le potager.

— Qu'est-ce que vous plantez ? demande Marie à une sœur agenouillée parmi les rosiers.

— Des tulipes.

La terre est noire et fine comme de la cendre. Une remorque à roues de bicyclette est chargée de matériel de jardinage en travers de l'allée. Le ciel est d'un beau bleu semblable à celui des yeux de Marie, avec des petits nuages pommelés. Pierrot arrive, essoufflé, les pommettes vermeilles.

— C'est formidable ! Je reviendrai. C'est grand. Il y a une grotte de Lourdes, là-bas.

Elles s'approchent d'une grande sœur en long tablier de devant, bottée, coiffée d'un chapeau de paille, qui conduit un motoculteur dans un carré du potager, derrière des sœurs étalent du fumier. La lourde machine pétarade en dégageant une fumée bleue. La religieuse la dirige d'une main ferme comme un homme. Marie et Aminthe s'arrêtent pour admirer l'adresse et la force de cette femme qui semble imposer sa volonté aux choses.

— C'est moi, en mieux, dans les mancherons de ma bicyclette ! plaisante Aminthe.

— Si vous le voulez, dit Marie à mère Marie-Françoise, je viendrai tailler les framboisiers. J'ai l'habitude. J'ai taillé les nôtres, rue Chanzy, avant de partir.

Elle touche les rameaux qui bourgeonnent et mettent de jeunes feuilles. Elle ramasse une poignée de terre qu'elle écrase entre ses doigts et tend à sa sœur.

— Tiens, ça sent le printemps.

Le soleil au bord du parc emplit d'or le lit de la Boulogne. Le ciel est bleu, bleu cru, un bleu charrette qui blesse les yeux de Marie. Seul un curieux nuage d'un blanc immaculé étincelle au soleil comme de la nacre parmi tout ce bleu. Il a une forme rectangulaire avec une mince traînée devant.

— On dirait un chemin conduisant à une porte... dit Marie.

— La porte du paradis !

— Nous allons faire le nécessaire pour retarder le plus possible le moment où vous franchirez cette porte ! promet mère Marie-Françoise.

La cloche de la chapelle sonne. Elles regardent leurs montres. Elles ont oublié les déménageurs. Ils sont peut-être arrivés ! Elles s'empressent vers l'entrée.

En effet, ils ont reculé le camion, portes ouvertes, sous la statue du Sacré-Cœur. Des paquets sont déposés sur le sol. L'ovale des parents Robin sort d'un carton. Le père et la mère assistent au ballet des déménageurs en souriant. Le piano attend, noir et massif, avec ses pieds à griffes de lion, d'être hissé dans une chambre à l'étage.

Pierrot gratte la terre de la semelle et secoue la tête.

— Qu'est-ce que je vais devenir maintenant, si je ne vous ai plus, leur reproche-t-il en sanglotant. Je veux que vous reveniez avec nous ! Je serai obligé d'être toujours avec Mme Aumont.

Les trois femmes s'interrogent, désemparées.

— Il faut bien que tu retournes, l'encourage Marie. Qui s'occuperait des pigeons, si tu n'étais pas là ?

— Je me moque des pigeons.

— Nous reviendrons mercredi prochain, promet Mme Jeanne-Marie. Allons, ne fais pas ta mauvaise tête.

— Vous me dites ça, et si ça se trouve ce ne sera pas vrai. C'est comme ma mère qui devait m'emmener !

Les yeux bleus de Marie se mouillent. Il le voit et enserre sa jambe avec son bras.

— Arrête, tu vas me faire tomber !

— Pierrot ! s'interpose Aminthe qui lui retire sa casquette et caresse le crâne aux cheveux coupés ras. Essuie tes yeux. Tu veux rester avec nous ? Tu te vois vivre en compagnie de toutes ces mères et ces sœurs, dans ce couvent de femmes ?

— Pourquoi pas ? répond-il avec un petit sourire hésitant.

— Ah ! il recommence à sourire ! C'est vrai que tu pourrais dormir avec nous une prochaine fois, en

271

effet. Mais as-tu pensé à ton père qui t'attend ? On ne va pas lui refaire le coup de *L'Île au trésor*. Tu seras le gardien de la maison de la rue Chanzy avec Mme Jeanne-Marie. Elle en a besoin si on veut qu'il ne s'y fasse pas de bêtises. Tu soigneras les pigeons, qui comptent sur toi. Et puis nous allons revenir. Nous avons encore à faire. L'atelier n'est pas déménagé. Si tu veux, nous choisirons les mercredis pour ça...

Il hoche la tête.

— Nous viendrons dans la 2 CV de la Bonne Mère. Est-ce que tu aimerais une promenade en 2 CV ?

Il opine à nouveau, avec un vrai sourire qui découvre ses dents.

— Allez, embrasse-moi, et va chercher Pompon qui doit s'ennuyer dans sa boîte.

Pierrot court vers le panier d'osier.

— Je n'aurais jamais cru que ce petit nous aimait à ce point, murmure Marie la gorge serrée.

— On souffrira plus du manque de Pierrot que de tout le reste. Mais il va nous aider à vivre jusqu'à cent ans.

Table

Table

Un combat secret

Les Lilas de mer
Yves Viollier

À la fin du XIXe siècle, au bord de la mer, en Charente, les « maraîchins », gens du pays, s'affrontent constamment aux « étrangers », qui, comme l'ouvrier corrézien Jean-Marie, ne sont pas de la région. L'histoire d'amour qui l'unit à Lilas, jeune Charentaise, n'échappe pas à la violence qui se déploie autour d'eux. Les deux amoureux sont brutalement séparés par une bataille, occulte cette fois-ci, qui règne dans le village.

(Pocket n°11601)

Il y a toujours un Pocket à découvrir

Esprit de clan

L'orgueil de la tribu
Yves Viollier

Ils sont encore des milliers, dans le bocage vendéen, à faire partie de la « Petite Église », une communauté composée des descendants de réfractaires au Concordat. Sans clergé, ils continuent à pratiquer leur religion selon les traditions de l'Ancien Régime. Dans la « tribu », le mariage est plus que sacré.

Aussi quand Danièle, l'épouse d'un de ses membres les plus influents, s'enfuit avec un photographe de passage, le scandale est immense, et c'est toute la tribu qui s'unit pour la faire revenir…

(Pocket n° 12273)

Il y a toujours un Pocket à découvrir

Cet ouvrage a été imprimé en France par

C P I
Bussière

à Saint-Amand-Montrond (Cher)
en décembre 2008

POCKET - 12, avenue d'Italie - 75627 Paris Cedex 13

— N° d'imp. : 81759. —
Dépôt légal : septembre 2004.
Suite du premier tirage : décembre 2008.